JE NOURRIS MON ENFANT

Les aliments de la croissance et de la santé

C'est naturel, c'est ma santé

JE NOURRIS MON ENFANT

Les aliments de la croissance et de la santé

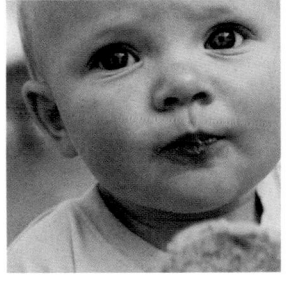

Dr Eric Ménat

Alpen Éditions

Alpen Éditions
Pastor Center
7, rue du Gabian
98000 Monaco

Eric Ménat est docteur en médecine, diplômé de la faculté Necker – Enfants Malades de Paris. Spécialisé en homéopathie, phytothérapie et nutrition, il est membre fondateur de l'Association médicale internationale de recherche et d'études du comportement alimentaire (AMIRECA) et de la Fédération médicale française des médecines naturelles (FMFMN).

Du même auteur :
La diététique du diabète. Éditions Alpen, Monaco.

Collection dirigée par :
Thierry Souccar et Elvire Nérin

Crédits photos :
John Fox, Image Source,
Photodisc, Goodshoot,
Creativ Collection, Photo Alto, Brand X
Pictures,
Copyright © 20 N. Abdallah et ses
concédants : tous droits réservés.

Dépôt légal : 1ᵉʳ semestre 2005
ISBN : 2-915124-04-3

Imprimé en France
Imprimerie Baud,
Dépôt légal n°499 : 1ᵉʳ semestre 2005
Saint-Laurent-du-Var

Introduction

L'équilibre alimentaire est le premier facteur de santé de l'enfant. Parents, à vous de donner l'exemple ! Notre santé dépend principalement de notre génétique, de notre environnement et de notre hygiène de vie. Si nous excluons les maladies héréditaires et en dehors d'un environnement très hostile (pollution, radiations…), toutes nos pathologies sont liées à notre mode de vie. Leur gravité dépend de nos capacités d'adaptation à tous ces facteurs d'agression. L'hygiène de vie concerne en particulier l'activité physique et la nutrition. Pour un enfant, la qualité de l'alimentation est primordiale car, au-delà des maladies, elle influence sa croissance et le développement de ses organes, comme son système immunitaire ou son cerveau.

Même Pasteur à la fin de sa vie a rejoint l'idée de son collaborateur Antoine Bechamps en concluant : « *le microbe n'est rien, le terrain est tout* ». Il suffit d'observer son entourage pour s'en convaincre. Si les épidémies hivernales n'étaient liées qu'aux virus, 100 % des personnes en contact avec un malade devraient être atteintes. Or il n'en est rien. Dans chaque famille, dans chaque classe, il y a toujours des individus qui « passent à côté ». On dit qu'ils sont moins fragiles, qu'ils ont un organisme plus résistant. Mais ce « terrain » favorable est rarement le fruit du hasard. Certains ont la chance d'avoir une bonne **hérédité** mais pour la plupart, c'est la conséquence d'une hygiène de vie plus attentive. Et chez les enfants, l'hygiène de vie dépend avant tout de leur alimentation.

Nous savons que pour ces « petits d'Homme »,
bien manger permet de bien grandir.
Combien de fois le leur avons-nous répété
pour qu'ils mangent leur soupe !
Mais la croissance n'est pas qu'une histoire de taille.
Il faut aussi que chaque organe soit opérationnel.
Pour cela, l'enfant doit fabriquer des milliards
de cellules et ces dernières ont besoin
de tout un ensemble de nutriments qu'il faut
absolument trouver dans son assiette.
À côté des protéines, ce sont surtout les vitamines,
les oligo-éléments, les acides gras essentiels
qui vont permettre de fabriquer ces cellules.
Les organes ne peuvent bien fonctionner que si les
cellules qui les composent sont **de bonne qualité**.

Nourrir et élever son enfant n'est pas
forcément instinctif. Cela doit s'apprendre !
C'est souvent une question de bon sens
mais il est utile de se faire guider, aussi bien
pour les bébés que pour les adolescents.
N'oubliez pas que les enfants commencent
par copier leurs parents, dans toutes les activités
de la vie. Pour les repas, c'est la même chose.
Les goûts et les habitudes alimentaires des enfants
dépendent surtout de ceux de leurs parents.
Les conseils que vous pourrez lire dans cet
ouvrage doivent aussi s'appliquer à vous,
car si vous ne donnez pas l'exemple, vos enfants
ne pourront pas intégrer vos recommandations.

TABLE DES MATIÈRES

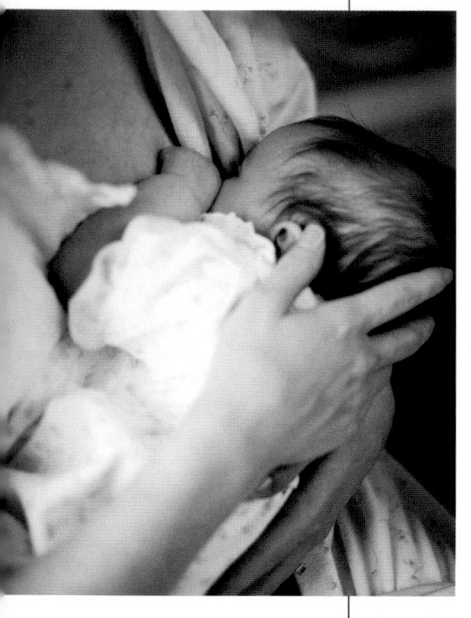

L'ALLAITEMENT

Il n'y a rien de mieux que le lait maternel !

La nature faisant bien les choses, le lait de vache est beaucoup plus adapté au veau qu'à l'être humain.

La première année de vie, le veau va grossir dix fois plus vite mais le nourrisson verra son cerveau se développer plus rapidement. Leurs besoins en calories et en micronutriments sont donc très différents.

De même, le système digestif des veaux, avec leur double estomac, n'a rien à voir avec celui de l'homme. Il est donc normal que les laits soient très différents. L'allaitement maternel est, sans aucun doute, l'alimentation idéale du nouveau-né, au moins dans ses quatre premiers mois de vie.

Un lait adapté à un organisme tout neuf

Un bébé qui vient de naître présente une particularité : son intestin n'est pas totalement étanche. Cette muqueuse intestinale trop perméable va laisser passer des grosses protéines qui n'auraient pas dû arriver dans le sang de l'enfant. Le système immunitaire va alors réagir contre ces grosses molécules et fabriquer des anticorps. Quand un bébé est nourri avec des dérivés du lait de vache, son système immunitaire risque de fabriquer des anticorps contre cet aliment « étranger » et par la suite, il pourra devenir intolérant, voire allergique aux dérivés du lait de vache.

Nourri au sein, une santé de fer

D'après les nombreuses études réalisées sur l'alimentation de l'enfant, l'allaitement semble protéger des morts subites du nourrisson. Lorsque l'enfant est gardé au sein au moins six mois, la prévalence des maladies infectieuses et respiratoires est nettement diminuée.

Le lait maternel réduit ce risque au maximum car une fois sevré, l'être humain ne le rencontrera plus jamais. Par ailleurs, il est mieux adapté à l'intestin et au rein du bébé qui sont encore immatures à la naissance.

Et bien sûr, les premiers jours de l'allaitement apportent ce fameux colostrum qui contient des anticorps permettant au bébé de mieux se défendre dans ses premiers mois de vie.

L'allaiter pour favoriser son développement

L'allaitement est une chose délicate. Dans notre société moderne, il est fréquent que la jeune maman ne sache pas ou ne puisse pas allaiter. Son médecin est là pour lui faire comprendre les avantages de l'allaitement et la conseiller pour que cette période se passe au mieux. Au-delà du plaisir qu'ils peuvent y prendre, il est prouvé que le contact prolongé entre le bébé et sa maman au cours de l'allaitement permet un meilleur développement psycho-moteur et limite l'apparition de plusieurs maladies. En revanche, l'allaitement ne protège pas de l'obésité et rend parfois les enfants trop dépendants de leur mère. Allaiter ne dispense pas d'une attention particulière dans l'éducation et l'alimentation futures de l'enfant.

Quand l'allaitement n'est pas une option

Quand l'allaitement n'est pas possible ou pas désiré, il est inutile d'insister outre-mesure. Cela finit par culpabiliser inutilement la mère et un allaitement non désiré peut-être moins bien vécu par le bébé et finalement moins profitable qu'une alimentation au biberon bien conduite.

Nourrir son nouveau-né au biberon n'est pas une catastrophe. Il faut bien choisir le lait en fonction des antécédents familiaux, en particulier d'allergie et changer de lait si on s'aperçoit que l'enfant le tolère mal (lire page 20).

L'exception « humaine » !

Curieusement, l'être humain est le seul animal qui continue à boire du lait après avoir été sevré ! À l'âge adulte, aucun animal ne consomme encore du lait. Même les chatons ne doivent pas boire de lait de vache sous peine d'être malades (troubles digestifs).

Lait maternel, lait de vache : rien à voir !

Le lait de vache entre dans la fabrication de la plupart des laits artificiels pour nourrissons. Mais sa composition est loin d'être adaptée au bébé.

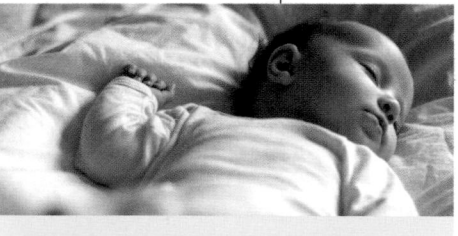

Il dormira comme un ange

Les graisses sont constituées d'éléments appelés acides gras. L'un de ces acides gras, le DHA (acide docosahexaénoïque) est présent dans le lait maternel. Il a montré son rôle dans la qualité du sommeil, dans le développement du cerveau et de la vision du bébé. Pour avoir du DHA dans son lait, la maman doit consommer régulièrement de l'huile de colza, des noix et du poisson gras (hareng, maquereau, saumon, sardine), en évitant les cuissons trop agressives qui dénaturent le DHA. Certains laits artificiels contiennent du DHA.

Entre le lait de vache et le lait maternel, c'est le jeu des différences. Et elles ne sont pas difficiles à découvrir :
- différences importantes en quantité et en répartition des protéines ;
- graisses identiques en quantité mais très différentes en qualité ;
- très forte minéralisation du lait de vache par rapport au lait maternel ;
- certains constituants du lait maternel sont totalement absents du lait de vache.

Le tableau ci-contre met en évidence les différences entre lait maternel et lait de vache. Ainsi vous saisirez mieux les efforts que doivent faire les industriels pour tenter de s'approcher du lait maternel.

Impossible de copier la nature

Les industriels peuvent enlever des protéines et des minéraux pour se rapprocher du lait humain mais ils ne peuvent pas ajouter toutes les molécules qui manquent. Le lait maternel contient 60 % de protéines solubles, dont certaines ont des propriétés importantes comme la lacto-transferrine qui favorise l'absorption du fer. Il est impossible d'ajouter ces protéines particulières dans les laits industriels.

Inversement, le lait de vache contient des protéines appelées bêta-lactoglobulines qui donnent fréquemment des allergies. Même les laits hypoallergéniques contiennent encore des traces de ces protéines.

Pour tenter de s'approcher du profil lipidique du lait humain, c'est-à-dire de sa teneur en graisses, les fabricants ajoutent des huiles végétales sans jamais pouvoir atteindre l'équilibre idéal du lait maternel. Pour ce faire, ils enlèvent totalement le cholestérol. Pourtant le lait humain en contient 3 fois plus que le lait de vache, mais la peur du cholestérol amène les laboratoires à vouloir faire mieux que la nature, oubliant au passage que les enfants ont absolument besoin de cette graisse pour fabriquer leurs cellules, synthétiser des hormones et les sels biliaires.

Pour finir, le lait humain contient 15 % d'oligosaccharides (des sucres très particuliers) importants pour la santé de l'enfant et que les industriels ne savent pas reproduire. Ils participent entre autre à la croissance cérébrale et à l'équilibre de la flore intestinale.

On comprend mieux, en étudiant simplement ces compositions, que l'allaitement est très supérieur aux laits artificiels et qu'il doit être favorisé dans la mesure du possible.

Jamais qu'une pâle copie !

Certaines propriétés du lait humain ne peuvent pas être copiées par les industriels. Ainsi, le fer contenu dans le lait maternel est absorbé à plus de 40 % grâce à une lacto-transferrine alors que le fer du lait de vache est absorbé seulement à 10 %.

Composition du lait maternel et du lait de vache (entier ou cru)

Pour 100 ml	Lait maternel	Lait de vache
Énergie (kcal)	69 à 71	66
Protéines (g)	0,8 à 1	3 à 3,5
Caséines/Protéines solubles	40 % / 60 %	80 % / 20 %
Bêta-lactoglobulines (g)	0	0,3
Immunoglobulines (g)	0,6	Traces
Lactotransferrine (g)	0,1 à 0,2	Traces
Lipides	3,5 à 4,5	3,5 à 4
Acides gras insaturés (%)	46 %	24 %
Acide alpha-linolénique (mg)	20 à 27	Traces
Cholestérol (mg)	30	10
Glucides (g)	6 à 7	5
Lactose (%)	85 %	98 %
Oligosaccharides (g)	1	Traces
Sels minéraux (mg)	200	700

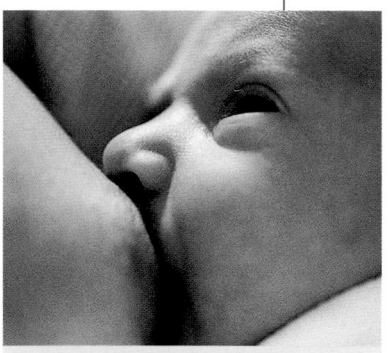

Un allaitement, ça se prépare

L'allaitement peut être exclusif jusqu'à 6 mois. Ensuite, la diversification est conseillée.

Même s'il correspond à une pratique naturelle, ne croyez pas que l'allaitement soit toujours facile et spontané. Beaucoup de femmes arrêtent parfois prématurément l'allaitement pour différentes raisons qui pourraient être prévenues. Pendant les derniers mois de grossesse, demandez conseil à votre médecin afin de préparer vos mamelons qui peuvent parfois souffrir au début de l'allaitement. Ensuite, il faut prévenir l'équipe qui va vous accoucher pour qu'ils vous aident à :
- mettre le bébé au sein le plus vite possible après l'accouchement ;
- bien placer le bébé qui doit prendre l'ensemble du mamelon dans sa bouche.

Enfin il faudra laisser le bébé dormir dans la chambre de la maman et surtout ne pas lui donner de biberon de lait en complément du sein.

De retour à la maison, je vous conseille également de disposer d'un pèse-bébé pour surveiller la courbe de poids et les quantités de lait prises par votre enfant au cours des tétées - ceci uniquement si la courbe de croissance n'est pas correcte.

Au moins quatre mois au sein

Si cela vous est possible, il est préférable d'envisager un allaitement exclusif au moins jusqu'à 4 mois. En revanche, après 6 mois, l'alimentation devra être diversifiée. Si vous devez reprendre votre travail plus tôt, passez à un allaitement mixte en gardant une tétée matin et soir et des biberons dans la journée. Choisissez alors un lait sans protéines de lait de vache.

4 bonnes raisons de préférer le sein

1 - Allaiter ne grève pas le budget de la famille.

2 - Allaiter peut permettre à la mère de perdre un peu plus vite les kilos pris pendant la grossesse.

3 - Un enfant nourri au sein n'est jamais « suralimenté ».

4 - L'allaitement est très pratique : rien à prévoir, le lait est toujours à la bonne température, prêt à être consommé où que l'on soit et ne nécessite ni stérilisation ni vaisselle après la tétée !

La tétée « à la demande »

L'allaitement se fait à la demande du nourrisson. Mais laissez tout de même un intervalle minimal de 2 heures entre chaque tétée pour éviter le « grignotage ». Le nombre de tétées va varier entre 6 et 8 par jour les premiers mois. Si la montée de lait est un peu difficile, il faut mettre le bébé au sein plus souvent. L'été, quand il fait chaud, il faut également augmenter le nombre de tétées. En effet, les premières gorgées sont plus liquides, moins nutritives et permettent de réhydrater l'enfant. On dit qu'au début de la tétée, le bébé boit et ensuite il mange. La durée de la tétée est très variable : en général 10 à 15 minutes par sein (donner les deux seins à chaque tétée) mais parfois plus de 30 minutes, en évitant de laisser le bébé s'endormir sur le sein.

Il faut s'occuper des seins avec attention

Avant chaque tétée, il faut nettoyer soigneusement les seins avec de l'eau afin d'éliminer les traces de lait qui coulent entre deux « repas ».

Une fois la tétée terminée, il faut à nouveau nettoyer le sein à l'eau pour éliminer la salive du bébé puis appliquer éventuellement une pommade pour nourrir la peau et limiter les risques de crevasses. Demandez conseil à votre médecin.

Vous devrez également laisser une compresse sur le sein ou parfois un petit réservoir pour recueillir le lait qui coule. Attention à ne pas laisser votre mamelon dans une ambiance humide qui favorise les crevasses.

L'allaitement demande donc de la rigueur et de l'attention mais c'est un moment de contact tellement privilégié entre la mère et l'enfant qui prolonge merveilleusement la symbiose qui existait pendant la grossesse.

La nature fait bien les choses

La nature a choisi de privilégier le bébé. Si vous présentez des carences, c'est votre organisme qui en souffrira en premier pour permettre la fabrication d'un lait le plus complet possible. Mais si vous ne consommez jamais certaines vitamines, votre lait sera forcément carencé !

Des forces pour la maman

Les bonnes habitudes prises au cours de la grossesse doivent être poursuivies pendant l'allaitement.

Des calories, ni trop, ni trop peu

La période de l'allaitement n'est pas propice aux régimes amaigrissants. Si vous ne mangez pas assez, votre lait va se tarir. L'allaitement par lui-même vous aidera à retrouver votre ligne plus facilement. En pratique, je vous conseille de bien équilibrer vos repas, sans chercher à manger plus ou moins de calories.

Les graisses qui rendent bébé intelligent

L'équipe du Dr Ingrid Helland (université de Oslo, Norvège) a donné de l'huile de foie de morue, une huile particulièrement riche en acides gras polyinsaturés de la famille oméga-3, à des femmes enceintes et pendant l'allaitement. Un autre groupe prenait des suppléments d'huile de maïs, riche en acide gras oméga-6. Résultat : les enfants des mères ayant pris de l'huile de foie de morue ont un quotient intellectuel plus élevé que les autres. On trouve des acides gras oméga-3 dans les noix, l'huile de colza et dans les poissons gras (saumon, hareng, maquereau, sardine).

Tout ce que vous mangez va se retrouver sous une forme ou une autre dans votre lait. **Les aliments néfastes pour l'enfant doivent donc être évités :**
- le café et les grandes quantités de thé qui apportent trop de caféine ;
- l'alcool ;
- les épices comme le poivre ou le piment qui peuvent entraîner des troubles digestifs chez l'enfant ;
- les aliments pouvant entraîner des allergies : arachides, kiwi, lait ou tout autre aliment auquel la mère ou le père de l'enfant sont intolérants ;
- les aliments qui peuvent donner du goût au lait et gêner la tétée : le fenouil, certaines épices, les asperges…

En revanche, vous pouvez boire de l'eau riche en magnésium (type Hépar®) sans crainte pour le transit du bébé.

Après l'accouchement, vous pouvez consommer à nouveau du fromage au lait cru ou des charcuteries car la listériose est surtout dangereuse pendant la grossesse. De la même façon, la toxoplasmose ne peut pas passer par votre lait. Continuez à vous méfier de certains aliments à risque car certains virus présents dans des fruits de mer pas très frais ou la salmonellose des volailles artisanales, peuvent être dangereux pour votre enfant.

Les aliments indispensables

Outre ces règles de bon sens, soyez attentive à consommer certains aliments indispensables pour vous et votre enfant. Car votre lait ne peut contenir que les nutriments que vous trouverez dans votre assiette.

Vous devez manger tous les jours :

• Des fruits et légumes : il faut absolument manger des légumes ou crudités aux deux principaux repas et deux fruits par jour pour avoir un apport suffisant en vitamines et minéraux.

• Des huiles de bonne qualité : le développement cérébral de votre enfant nécessite un apport en acides gras bien équilibré. Pour cela, prenez 2 à 4 cuillères à soupe par jour d'une huile vierge première pression à froid en alternant l'huile d'olive, source d'acide oléique et l'huile de colza ou de soja qui apportent dans les proportions idéales des acides gras essentiels oméga-6 et oméga-3 que le corps ne sait pas synthétiser.

• Des protéines le midi mais aussi le matin ou le soir : alternez viandes, poissons et œufs pour un apport en acides aminés essentiels en évitant les cuissons à haute température (grillades en particulier).

• Un à deux laitages par jour, de préférence aux repas qui n'apportent pas d'autres protéines : 1 yaourt à 16 heures et du fromage à l'un des principaux repas est une bonne répartition.

• Enfin, pensez à boire entre 1 et 1,5 litre d'eau par jour car la déshydratation est une des premières causes de l'insuffisance de lait chez la maman.

La cigarette interdite

Le tabagisme est aussi mauvais pendant l'allaitement que pendant la grossesse. Le tabac augmente le risque de mort subite et multiplie par six les risques d'asthme. La nicotine qui passe par votre lait aura également un effet néfaste sur les artères de votre enfant.

BIEN NOURRIR SON ENFANT AU BIBERON

Quelle marque acheter ?

En cas de terrain allergique on choisira entre un lait fabriqué à base de soja : Gallia Soja® – Modilac Soja® et Prosobee® ou bien un lait hypoallergénique : Pregestimil®, Galliagene Progress® et Pepti-Junior®.

Ces laits ont ma préférence car ils sont totalement prédigérés mais ils sont aussi très liquides et les bébés ont souvent faim. On pourra essayer alors Gallia HA® ou Blédilait HA®. En l'absence de risque allergique, je privilégie les laits suivants : Blédilait Premium® – Gallia Calisma® et Guigoz Transit®. Le lait Materna® est l'un des seuls à contenir du cholestérol, offrant un équilibre en lipides plus proche du lait maternel. Le lait Baby-Bio® est le seul à être biologique.

Quel lait choisir ?

Les définitions et les compositions de ces laits changent très souvent et même les médecins finissent par avoir du mal à suivre ces évolutions curieuses.

Il existait les laits maternisés et non maternisés puis les aliments lactés diététiques pour nourrisson. Aujourd'hui, on parle d'aliments diététiques et de régime de l'enfance. Parmi les 120 laits répertoriés dans le Vidal (guide des médicaments), on distingue plusieurs types de laits artificiels :

- Les préparations pour nourrisson et « de suite » (ex 1er et 2ème âge).
- Les préparations « spéciales » contre les régurgitations, pour les prématurés, en cas de constipation ou de diarrhée.
- Les préparations hypoallergéniques.
- Les laits fermentés ou avec probiotiques.
- Les préparations à base de soja.

Pour moi, tous ces laits ne sont pas équivalents et certaines marques font un peu mieux que d'autres. Pas question de faire ici une étude détaillée des différences existantes car le choix dépend surtout d'une question : risque allergique ou non ?

En cas de terrain allergique

Si l'enfant a des antécédents familiaux d'allergies comme l'asthme, l'eczéma ou le rhume des foins (on appelle cela un terrain atopique), il faut choisir une préparation sans protéines de lait. **Les préparations hypoallergéniques** ne sont pas parfaites : elles sont très « liquides ». Les enfants risquent d'avoir faim trop rapidement et ont davantage de régurgitations.

C'est pourquoi, on peut parfois préférer **les préparations à base de soja.** Elles sont bien tolérées sur le plan digestif et réduisent au maximum le risque d'allergies. Par contre, les laits à base de soja contiennent des phytoestrogènes et il n'est pas démontré que ces éléments naturels qui se comportent comme des hormones soient sans effet sur l'organisme d'un bébé. Dans ma pratique quotidienne, j'ai suivi de nombreux enfants nourris exclusivement au lait de soja et je n'ai constaté aucun effet secondaire mais ce n'est pas une statistique suffisante.

En l'absence de risque allergique

On peut tout de même utiliser des préparations à base de soja ou un lait hypoallergénique mais leur coût n'est pas négligeable. On peut aussi commencer avec des dérivés du lait de vache. Dans ce cas, les laits les mieux tolérés sont les laits « fermentés » ou avec « probiotiques ». Les probiotiques sont ces bactéries que l'on trouve dans certains yaourts et qui agissent sur la flore intestinale, améliorant le confort digestif. Les probiotiques améliorent les défenses immunitaires et réduisent la perméabilité intestinale.

Les laits 1er âge sont proposés de la naissance à 4 mois révolus. Au cours du 5ème mois, on passe au lait 2ème âge. Mais dans tous les cas, il ne faut pas hésiter à changer de lait si votre enfant à l'air de mal le tolérer. Demandez conseil à votre médecin.

Une mère avertie en vaut deux

Saviez-vous qu'à la maternité, le choix du lait pour votre enfant se fait au hasard, en fonction des marques présentes dans les placards ? Si vous avez décidé de ne pas allaiter, vous pouvez apporter à la maternité le lait que vous aurez choisi avec votre médecin avant l'accouchement.

La préparation des biberons

Il ne faut pas croire que tous les biberons sont identiques et que toutes les techniques sont valables. Même si les différences sont parfois minimes, il y a le mieux et il y a « l'à peu près ».

Il faut choisir des biberons en **verre** : quand on fait chauffer des biberons en plastique, surtout au micro-onde, des molécules plastifiantes peuvent passer dans le lait. Pour votre premier bébé, achetez au moins 6 biberons de 250 ml et 4 biberons de 90 ml, pour éviter de laver et stériliser plusieurs fois par jour.

Les biberons sont généralement vendus avec une tétine « nourrisson » qui sera rapidement insuffisante car le débit est trop faible. Il est préférable d'utiliser des tétines trois vitesses avec fente décalée. Le choix de la texture sera fait par le bébé. Certains préfèrent la silicone, d'autres le caoutchouc. À vous de tester ! La silicone serait plus saine mais le plus important est que votre bébé mange correctement.

Air et biberon… un savant dosage aussi !

La tétine ne doit pas être trop serrée : on doit voir des bulles remonter dans le biberon. Si vous la serrez trop, l'air ne va pas entrer et donc le lait ne sortira pas. Votre bébé va s'épuiser à téter et finira par pleurer de faim, de frustration et souvent de colite. En tétant, un bébé avale toujours une certaine quantité d'air. Toutefois, pour éviter qu'il n'en avale trop, il faut bien prendre garde à ce que la tétine soit toujours remplie de lait quand le bébé tète.

Stériliser à chaud uniquement

Il est préférable de ne pas utiliser la stérilisation à froid qui nécessite des produits chimiques. Choisissez un appareil électrique pour stérilisation à chaud, à la fois économique et très simple d'utilisation. Il faut bien laver et rincer (pour éliminer toute trace de lessive) les biberons et les tétines. Cette opération un peu laborieuse est absolument indispensable quel que soit le type de stérilisation. Ensuite, il suffit de mettre de l'eau dans l'appareil, d'y déposer les biberons et de brancher. L'arrêt est automatique et les biberons à nouveau prêts à l'emploi.

Un repas simple à préparer !

La préparation du biberon est simple mais doit être réalisée avec **rigueur**.

Se laver les mains. Prendre un biberon stérile et y mettre la quantité d'eau voulue (uniquement des multiples de 30 ml : 90, 120, 150, 180, 210, 240). Utiliser une eau minérale la moins minéralisée possible : Volvic® ou Mont Roucous®. Ne jamais prendre l'eau du robinet, sauf si vous êtes à court de bouteilles.

Chauffer l'eau **avant** d'y mettre le lait à l'aide d'un chauffe-biberon électrique. Éviter le four micro-ondes. Il vaut mieux un biberon trop froid que trop chaud.

Ajouter la quantité de lait nécessaire : 1 mesure de poudre de lait pour 30 ml d'eau. Mettre toujours une mesure **rase** de lait, jamais plus et jamais moins. Utiliser une lame de couteau bien propre pour araser le lait dans la mesurette. Refermer bien la boîte de lait après usage en y laissant la mesurette qui ne doit jamais être posée ailleurs, pour des raisons d'hygiène. Ne jamais chauffer le lait reconstitué car vous détruisez une partie des vitamines.

4 conseils pour donner le biberon à la perfection

1 - S'installer confortablement dans un endroit calme et si possible sans trop d'odeurs qui perturbent l'appétit du bébé ; installer le bébé en position semi-allongée, plutôt plus que moins, bien calé entre votre corps et votre bras. Vous devez pouvoir le nourrir d'une main et utiliser l'autre pour régler le serrage de la tétine.

2 - Le biberon doit être pris en 15 à 30 minutes ; ne pas laisser l'enfant « tétouiller » pendant plus d'une heure. Si le bébé s'endort, il faut essayer de le stimuler ; si vraiment il ne veut pas finir son biberon, laissez-le, il mangera mieux le prochain.

3 - Lui faire faire un rot au milieu du biberon puis à la fin, pour éviter les risques de régurgitations.

4 - Ne pas trop « remuer » le bébé juste après le biberon, changez-lui sa couche plutôt avant qu'après son repas.

L'alimentation de la naissance à 1 mois

Le nouveau-né : un organisme en devenir dont il faut protéger et ne pas surcharger les organes.

L'organisme du nouveau-né est immature et certains organes ne sont pas terminés. Le système nerveux ne sera fini qu'entre 2 et 3 ans, le système immunitaire est « vierge » et le système digestif est très fragile. La muqueuse intestinale est trop perméable et le foie et le rein ne sont pas encore capables d'assurer totalement leur fonction. Or la digestion et l'élimination des déchets qui s'en suit nécessitent le bon fonctionnement de ces deux émonctoires. Il faudra donc les protéger et ne pas trop les surcharger, surtout avant le 5e mois de vie. Un nouveau-né passe ses journées à manger et à dormir. En dehors du contact intime avec sa mère et la voix rassurante de ses parents, sa principale source de plaisir sera de calmer sa faim. C'est aussi sa principale source d'agression du fait de l'immaturité de son système digestif. La qualité de ses repas est donc primordiale pour optimiser sa croissance et son bien-être. Pour ne citer que deux exemples, on a montré qu'une carence en acides gras polyinsaturés pouvait réduire la taille définitive du cerveau de 40 %. On sait également qu'une alimentation mal équilibrée est la première cause de l'eczéma du nourrisson.

Pesez régulièrement votre bébé

Pendant les six premiers mois de vie, il est préférable de peser régulièrement votre enfant pour adapter ses biberons à son poids et vérifier que sa croissance est harmonieuse. La location d'un pèse-bébé est souvent utile et une consultation mensuelle chez votre médecin indispensable.

Bien doser les repas

Il est très important d'espacer les biberons : laissez toujours **2h30 à 3h entre chaque biberon**. Les moyennes ci-dessous concernent un enfant né à terme.

• **La première semaine**
1er jour : 6 à 8 biberons de 15 ml
2ème jour : 6 à 8 biberons de 30 ml
3ème jour : 6 à 8 biberons de 40 ml
4ème jour : 6 à 8 biberons de 50 ml
5ème jour : 6 à 8 biberons de 60 ml
6ème jour : 6 à 8 biberons de 70 ml
7ème jour : 6 à 8 biberons de 80 ml

• **À partir de la 2ème semaine**, on donne en général 6 biberons de 90 ml qui, à cet âge, ne sont pas systématiquement finis. Il se peut qu'au début, le nouveau-né ait besoin de 7 à 8 biberons par jour, ce qui ne pose aucun problème. L'alimentation à cet âge doit se faire à la demande, c'est-à-dire que l'on donne le biberon quand le bébé le réclame, avec une condition : laisser au moins 2 heures entre chaque biberon. Pour simplifier les calculs, on considère qu'en moyenne un bébé doit prendre environ 150 ml de lait reconstitué par kilo de poids et par jour. Par exemple, un bébé de 4 kg doit boire 4x150 ml soit 600 ml de lait par jour, ce qui fait environ 6 biberons de 90 ml d'eau qui donnent environ 105 ml de lait.

• **Vers la fin du 1er mois,** on passera en général à 120 ml par biberon. En fait, ce passage se fera dès que le bébé termine régulièrement ses biberons de 90 ml. Il peut arriver qu'avant 1 mois, le nourrisson commence à espacer ses biberons la nuit et qu'il passe à 5 biberons par jour. Dans ce cas, il faut augmenter les quantités dans chaque biberon.

Pas de panique si bébé ne termine pas ses biberons

Entre 0 et 1 mois, le bébé passe environ de 3 à 4 kg. Il prend en moyenne 30 g par jour. On lui donne environ 450 ml de lait / jour au début et 600 ml de lait / jour vers 1 mois. Si votre bébé ne finit pas ses biberons ou qu'il mange moins que cela, pas d'inquiétude ! Seule sa courbe de poids et de taille comptent. Si elles sont harmonieuses, votre bébé est en bonne santé !

L'alimentation entre 1 mois et 4 mois

Jusqu'à la fin du 4ᵉᵐᵉ mois, l'alimentation du nourrisson est, sauf exception, exclusivement lactée.

Optimiser la qualité des biberons

Si vous n'allaitez pas et même si vous avez choisi avec soin le lait artificiel, vous pouvez améliorer la qualité des biberons en y ajoutant :

- Une demi-gélule de probiotique dans le biberon du matin et du soir,
- 1 g d'huile de cameline ou de bourrache suivant le lait utilisé et les besoins de votre enfant. Demandez conseil à votre médecin.

La quantité de lait et le rythme des biberons dépendent de plusieurs facteurs :

- **Le poids du bébé :** un nouveau-né doit prendre environ 150 ml / kg / jour, de lait reconstitué.
- **L'appétit du bébé :** l'alimentation se fait à la demande et de nombreux facteurs peuvent faire varier son appétit.
- **Le rythme de sommeil :** le bébé devrait « faire ses nuits » vers 2 à 3 mois. C'est aux parents de l'orienter dans ce sens. Il va aussi dormir plus longtemps dans la journée. Le nombre de biberons va donc se réduire à 5 puis à 4 vers 4 mois.

Un rythme de vie très réglé

Les bébés sont à la fois très solides et très sensibles aux événements extérieurs. À cet âge, il faut essayer de les faire vivre sur un rythme monotone pour ne pas les perturber. Dès que vous aurez trouvé le lait adapté à votre enfant, évitez d'en changer. N'ajoutez rien dans ses biberons en dehors des prescriptions de votre médecin. On ne met ni chocolat, ni farine, ni sucre, ni miel dans les biberons et on ne lui donne rien à « grignoter ».

Si votre enfant refuse son biberon, les raisons peuvent être multiples :

- Vérifiez si le lait n'est pas trop chaud et la tétine pas trop serrée.

• Il peut commencer des poussées dentaires : la première dent sort vers 6 mois mais les poussées commencent souvent vers 4 mois.

• Il peut aussi être un peu malade. Un bébé réagit de façon instinctive, s'il doit lutter contre un virus, il jeûne pour se « guérir » plus facilement. Pensez donc à vérifier sa température et consultez votre médecin en cas de doute.

Régurgitations ? Pas de panique !

Avec la constipation, les régurgitations sont les plaintes les plus fréquentes des parents en ce qui concerne l'alimentation de leur bébé. Rassurez-vous, les régurgitations sont normales si elles surviennent dans les 15 minutes qui suivent le repas. Elles sont sans conséquences pour la santé de votre bébé et obligent surtout à faire plus de lessive ! Elles sont dues à un phénomène de « trop plein » favorisé par l'air avalé pendant la prise du biberon. Si le phénomène persiste de manière importante, demandez conseil à votre médecin pour changer le lait ou utiliser un épaississant. On parle de reflux, quand ceux-ci ont lieu à distance des repas. Ils peuvent avoir plusieurs complications et en particulier les œsophagites et les infections broncho-pulmonaires. En cas de doute, consultez votre médecin.

> ## Un bébé peut avoir soif !
>
> Pensez à donner de l'eau **nature** à votre bébé entre les biberons, surtout l'été. Je vous rappelle qu'il ne doit pas « grignoter ». S'il a soif et que vous lui proposez du lait, il le prendra mais vous allez le suralimenter et lui occasionner des troubles digestifs. S'il réclame entre les « repas », proposez lui 60 à 90 ml de l'eau utilisée pour la confection des biberons.

Le rythme alimentaire entre 1 mois et 4 mois

	De 1 à 2 mois	De 2 à 3 mois	De 3 à 4 mois
Prise de poids	30 g par jour	25 g par jour	20 g par jour
Évolution du poids	passe de 4 à 5 kg	passe de 5 à 5,7 kg	passe de 5,8 à 6,4 kg
Nombre de biberons	6 et parfois 5	5	5 et parfois 4
Quantité de lait par jour	600 à 750 ml	750 à 850 ml	850 à 950 ml
Quantité d'eau par biberon	120 à 150 ml	150 puis 180 ml	5 fois 180 ml ou 4 fois 210 ml

L'alimentation entre 5 et 6 mois

Pendant longtemps, on a diversifié l'alimentation des bébés précocement : on commençait à introduire d'autres aliments entre 3 et 4 mois. Aujourd'hui, tout le monde est d'accord pour dire que cela favorise les allergies alimentaires et qu'il ne faut diversifier qu'à partir de 6 mois révolus.

Le lait 2ème âge

Que vous diversifiiez ou non, vous devez passer au lait appelé « de suite » ou « 2ème âge ». Ce lait est un peu plus riche en calories et en micronutriments pour s'adapter aux besoins de croissance de votre enfant. Après 4 mois, votre enfant est plus résistant. Son foie et son rein sont plus matures et supportent mieux des aliments plus riches et une alimentation moins régulière.

Vous pouvez donner :

• **au 5ème mois :** 4 à 5 biberons de lait 2ème âge de 150 à 210 ml suivant les enfants, l'appétit et le poids de l'enfant.

• **au 6ème mois :** en moyenne 4 biberons de 210 ml de lait 2ème âge.

Diversification précoce en cas de troubles digestifs

	5ème mois	6ème mois
Le matin	Bouillie avec 180 ml de lait 2ème âge et une farine diastasée	Bouillie avec 210 ml de lait 2ème âge et une farine diastasée
À midi	Biberon de 180 ml d'un mélange de lait 2ème âge + soupe +/- 60 g de compote	200 g de purée à la cuiller + 60 à 100 g de compote
Vers 16 h	180 ml de lait 2ème âge +/- 60 g de compote	Yaourt de brebis ou de soja +/- 60 à 100 g de compote
Le soir	Biberon de 180 ml de lait 2ème âge + farine diastasée	Bouillie avec 1/2 purée de légumes et pommes de terre et 1/2 lait 2ème âge +/- farine diastasée

Il est habituel d'arrêter la stérilisation des biberons à partir du 5ème mois. Vous pouvez laver les biberons au lave-vaisselle à condition de les rincer pour bien éliminer toute trace de lessive. Seules les tétines devront être soigneusement lavées à la main.

Pour ceux qui ne s'adaptent pas au biberon

Certains enfants ont du mal à tolérer l'alimentation au biberon. Cela peut être dû au lait mais c'est parfois simplement parce qu'ils régurgitent facilement et ne supportent pas une alimentation trop liquide.

Si votre enfant est dans ce cas, vous aurez tout intérêt à passer à des repas plus « épais » pris à la cuiller (demandez conseil à votre médecin). **Vous introduirez alors plus précocement trois types d'aliments :** les fruits les moins allergisants (pomme, poire, pêche, abricot et banane), des purées de légumes, une farine sans gluten (appelée aussi diastasée).

Vous trouverez dans le chapitre suivant les détails pour préparer les purées et les compotes.

Dans le cas d'une diversification plus précoce, les repas seront répartis comme dans le tableau ci-contre à condition d'introduire les nouveaux aliments un par un et très progressivement.

Une croissance plus lente

Après les 4 premiers mois, la croissance va prendre son rythme de croisière et donc se ralentir un peu. Entre l'âge de 4 et 6 mois, votre enfant devra prendre en moyenne 3 cm et 1,5 kilo. En revanche, son développement psychomoteur, lui, va s'accélérer. Les échanges sont de plus en plus riches. Pendant cette période, il va de mieux en mieux tenir sa tête et prendre appui sur ses bras quand il est sur le ventre.

Surtout pas de sel !

Jusqu'à l'âge d'un an, il ne faut ajouter ni sel ni sucre dans les plats de votre enfant. Ne vous fiez pas à vos propres goûts. Le lait maternel ou les laits pour nourrissons n'ont pas très bon goût et pourtant ils sont très appréciés par les bébés. Si vous assaisonnez les aliments, vous perturbez le palais de l'enfant qui va devenir plus difficile par la suite.

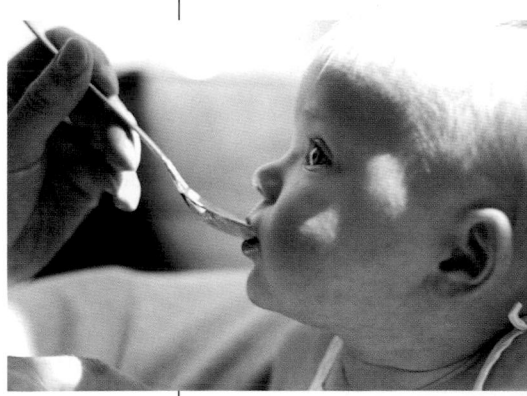

LES PREMIERS REPAS

Les premiers aliments de la diversification

À 6 mois, votre enfant encore fragile, peut devenir facilement allergique à tout ce qu'il rencontre. Il faudra donc éviter de le mettre en contact avec des molécules chimiques comme les colorants, les conservateurs ou les arômes artificiels. Choisissez avec soin les aliments que vous allez lui donner.

Comment introduit-on la soupe ?

Supposons que votre enfant boive 210 ml de lait à midi, vous allez commencer par lui donner 180 ml de lait (ou plutôt 180 ml d'eau et 6 mesures de lait) mélangés à 30 ml de soupe. Au bout de 3 à 4 jours, vous passerez à 60 ml de soupe et 150 ml de lait. Puis de nouveau 3 à 4 jours plus tard vous lui donnerez 90 ml de soupe et 120 ml de lait et ainsi de suite pour arriver en 3 à 4 semaines à un biberon complet de soupe.

Fruits et légumes !

Les légumes sont introduits sous forme de soupe au repas de midi. Vous allez remplacer très progressivement le lait du biberon par de la soupe, en ajoutant petit à petit un peu de soupe à son biberon de lait (*lire encadré*).

Une fois les légumes introduits au repas du midi et bien tolérés par l'organisme du bébé, vous pouvez introduire progressivement des légumes le soir de la même façon. Reportez-vous aux chapitres suivants pour connaître le rythme alimentaire en fonction de l'âge de votre enfant. Si votre enfant a tendance à rejeter le biberon, vous pouvez lui proposer de la purée à la cuiller. La préparation des légumes est la même mais on mixe les légumes sans ajouter d'eau. Vous lui proposez une quantité de purée équivalente à la soupe en ajoutant un peu de lait du biberon pour la diluer éventuellement. Vous complétez le repas par un biberon de lait ou une tétée tant que cela est nécessaire. Dès le début de la diversification vous allez proposer à votre enfant de la compote à la cuiller (ou parfois au début diluée avec un peu d'eau au biberon s'il n'arrive pas à manger à la cuiller). Vous commencerez par 50 à 60 g 1 fois puis 2 fois par jour, en général au déjeuner et au goûter. Puis on augmentera progressivement jusqu'à 100 à 120 g, 2 fois par jour. Vous trouverez dans le chapitre suivant les recettes pour préparer ces aliments de base à votre enfant.

Et dans certains cas, les farines

Idéalement, il faudrait ne pas avoir à se servir des farines, mais elles peuvent être utiles dans plusieurs situations :

- lorsqu'un enfant régurgite et a besoin d'un repas plus « consistant » ;
- si un enfant a du mal à prendre du poids, cela permet d'enrichir un peu ses repas ;
- pour les enfants qui ont du mal à faire leurs nuits et se réveillent en réclamant un biberon (ils savent si bien se faire comprendre !) ;
- simplement si l'enfant refuse les biberons et qu'il faut passer à la bouillie.

Quelle farine acheter ?

Le choix des farines est simple, surtout avant un an. Le blé, en raison de la présence de gluten doit être absolument évité. Les seules farines à utiliser avant un an sont les farines 1er âge dites «diastasées» et sans gluten ; elles sont en général à base de riz. Elles doivent également être sans lait. Éviter les farines contenant des arômes ou des fruits.

Farines, mode d'emploi

- **À raison de 1 à 4 cuillers à café dans un biberon** pour l'épaissir et rendre le repas plus nourrissant. Cette technique est surtout utilisée pour le biberon du soir quand l'enfant a du mal à faire ses nuits.

- **En bouillie** quand le bébé refuse l'alimentation au biberon ou s'il régurgite trop facilement. Il suffit de préparer un biberon de lait normal (moins 30 ml par rapport à la quantité normale) et d'ajouter de la farine jusqu'à obtenir une consistance acceptée par l'enfant. Il n'est pas nécessaire de calculer la quantité de farine ajoutée. Cette bouillie est surtout utilisée le matin et le soir. Si le biberon est refusé, on donne une purée de légumes à midi et un yaourt à 16 heures, avec un peu de compote à ces deux repas.

Soupes et compotes maison, recettes faciles

Pour privilégier les vitamines et les nutriments essentiels à sa croissance, rien de tel que de confectionner des « petits pots » maison en un tour de main.

Congelez sans hésiter !

Pour vous simplifier la vie, n'hésitez pas à faire cuire de plus grandes quantités de légumes et de fruits. Gardez au frigidaire la quantité nécessaire pour 48 heures et congelez le reste. Vous décongèlerez ainsi soupes et compotes au fur et à mesure de vos besoins. Congelez la compote dans des petits pots de la taille d'un yaourt et la soupe par quantité de 100 à 200 g. Vous pouvez ainsi préparer des soupes pour 8 à 15 jours en une seule fois et avoir toujours sous la main un aliment excellent pour votre enfant.

Pour ne pas agresser l'intestin de votre bébé, vous lui donnerez à peu près le même mélange de légumes jusqu'à l'âge d'un an.

1/3 de pommes de terre, 1/4 à 1/3 de carottes ou potiron ou potimarron (légumes orange), 1 gros tiers de légumes verts : haricots verts, poireaux, courgettes, salade.

Dans un deuxième temps, vous utiliserez parfois un peu de navets, oignons et tomates pelées. Vous pouvez tester le céleri et le fenouil mais le goût est souvent trop fort pour les enfants. Vous ajouterez un peu d'épinards en cas de constipation.

Vous pouvez cuire les légumes à l'eau (du robinet) sans sel éventuellement avec un bouquet garni mais **aucune épice** ; vous pouvez également utiliser la cocotte minute. Mais l'idéal est certainement de les cuire à la vapeur. Une fois les légumes bien cuits, mixez-les soigneusement en ajoutant un peu d'eau minérale ou d'eau de cuisson suivant la consistance désirée (soupe ou purée).

Au moment du repas, vous devez ajouter de l'huile (idéalement un mélange d'huile d'olive et de colza) à raison d'une demi-cuiller à deux cuillers à café d'huile suivant la quantité de lait (qui est gras) et de soupe (qui contient peu de calories) présents dans le biberon.

Vous pouvez utiliser des petits pots de légumes pour vous dépanner mais prenez garde qu'ils ne contiennent ni lait, ni protéines et aucun produit chimique comme des conservateurs.

Le secret de la compote

Préférez des fruits de saison, toujours bien mûrs.

Dans un premier temps, évitez les agrumes comme les oranges, mandarines, pamplemousses et kiwi qui donnent souvent des allergies ou des intolérances digestives.

Les principaux fruits utilisés sont : pomme, poire, banane, pêche, brugnon, abricot et jus de citron.

Si vous le pouvez, achetez des fruits biologiques (obligatoire pour les abricots car ils ne s'épluchent pas) qui ne contiennent pas de pesticides et sont plus riches en vitamines. Sinon, prenez soin de bien laver les fruits (à l'eau savonneuse) et de les peler ensuite (si ! si ! les deux !).

Faites-les cuire longtemps mais à **feu doux sans sucre**. Quand ils sont bien cuits, mixez-les bien. Attention aux fruits achetés surgelés : ils contiennent forcément des pesticides s'ils ne sont pas biologiques.

Vous pouvez acheter des petits pots de compotes pour bébés pour vous dépanner à condition qu'ils soient 100 % à base de fruits et sans conservateur. Si ces petits pots sont d'origine biologique, ce sera beaucoup mieux.

Introduisez un aliment à la fois

Nous sommes toujours un peu pressés de faire découvrir de nouveaux aliments à nos enfants et de voir comment ils vont réagir. Rappelez-vous que leur organisme est fragile et s'adapte lentement aux nouveautés. Si vous le pouvez, introduisez un aliment à la fois et une seule fois par semaine afin d'observer les réactions de l'enfant. Des intolérances sont possibles à n'importe quel type d'aliment.

Le truc en plus !

Au moment de donner la compote, ajoutez un filet de citron et 1/2 cuiller à café d'huile de noix vierge première pression à froid. Cela permet un apport en vitamine C et en acides gras essentiels très importants pour la santé de votre enfant.

Introduction des protéines

Les protéines animales sont souvent critiquées, accusées de tous les maux mais on oublie trop souvent que le lait est aussi une protéine animale.

Pourquoi le lait ne suffit plus

À partir de 6 mois, le lait ne suffit plus pour l'apport en acides aminés (les composés des protéines) et la croissance du nourrisson. Il faut donc introduire d'autres protéines, animales et végétales, dans son alimentation.

Avant cet âge, on évite les protéines animales non lactées pour plusieurs raisons :

• le rein du bébé est immature et ne pourrait pas éliminer l'urée qui découle de la consommation de ces protéines ;
• le risque d'apparition d'une allergie est élevé, surtout avant 4 mois, du fait d'un intestin également immature et donc trop perméable.
• Ces protéines apportent des graisses saturées et pourraient perturber la digestion du bébé.

Les bonnes protéines

Les protéines à introduire doivent être peu grasses et peu allergisantes. On commence donc par le blanc de volaille (poulet ou dinde), le poisson blanc, le jambon maigre et la viande

Les laits végétaux

À côté du sacro-saint lait de vache, vous avez à votre disposition différents laits d'origine végétale mal connus et pourtant très utiles au moment de la diversification. Ils ne contiennent pas de mauvaises graisses et sont très peu allergisants.

Le lait de soja (et les yaourts de soja natures) : il est équivalent au lait de vache en ce qui concerne les protéines, il ne contient que des bonnes graisses et si vous le choisissez enrichi en calcium il est tout à fait suffisant pour la croissance de l'enfant. Il peut être utilisé dès le début de la diversification.

Le lait d'amande n'est pas très bien équilibré en protéines mais c'est le lait végétal qui contient naturellement le plus de calcium et il apporte de bons lipides pour la croissance cérébrale du nourrisson.

Les laits de riz et d'avoine ne peuvent pas remplacer le lait de vache ou de soja car ils sont totalement insuffisants pour la croissance de l'enfant.

maigre (veau de lait et filet mignon de porc). Dans un deuxième temps, vers 9 mois, on peut introduire un peu de foie de veau, de bœuf, d'agneau et de poisson gras (saumon, maquereau, sardine fraîche).

Les morceaux de viande très gras (entrecôte, côte de porc...) et la charcuterie sont absolument à éviter. Pour la cuisson, c'est beaucoup plus simple : toutes les protéines animales doivent être cuites à l'eau, sans aucun assaisonnement et en particulier sans sel.

Et des yaourts ?

À part pour le calcium, l'introduction massive de laitages n'est pas justifiée. Les laitages à notre disposition sont souvent trop gras (desserts lactés) ou trop salés (fromage) et sont moins riches en protéines que la viande ou le poisson. Le seul yaourt digeste que l'on peut donner est le yaourt au bifidus, qui permet d'entretenir la flore intestinale de l'enfant.

En pratique et jusqu'à 1 an, il est bien préférable de conserver essentiellement le lait 2ème âge beaucoup plus adapté à l'enfant : 500 ml par jour soit l'équivalent de 2 biberons sont nécessaires à cet âge.

Du jaune d'œuf

L'œuf est un peu à part parce que le blanc d'œuf est très allergisant et ne peut être donné qu'à partir d'1 an. Le jaune est gras mais apporte des nutriments essentiels comme la lécithine, des caroténoïdes (pigments antioxydants) mais aussi des protéines et du cholestérol indispensables à la santé de l'enfant. On peut donner un jaune d'œuf dur par semaine à partir de 7 ou 8 mois.

On peut envisager de donner un peu de fromage maigre et peu salé comme le chèvre doux en évitant au maximum les fromages « industriels » et transformés comme les pâtes à tartiner ou autres fromages fondus qui contiennent trop d'additifs et de sel.

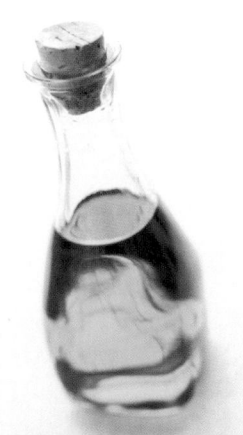

Les graisses dans l'alimentation du nouveau-né

Les lipides sont souvent sous-estimés dans l'alimentation du nouveau-né. Les parents s'en méfient et les médecins n'insistent pas assez sur leur importance dans le développement de l'enfant et sur la nécessité de bien les équilibrer. Mais attention, toutes les graisses ne se valent pas !

Uniquement des huiles biologiques

La plupart des produits chimiques utilisés en agriculture (pesticides, engrais…) mais aussi la dioxine sont lipophiles, c'est-à-dire qu'ils se fixent sur les graisses.

Les aliments riches en graisses, et donc particulièrement les huiles, vont retenir beaucoup de ces molécules chimiques.

C'est pourquoi vous devez faire l'effort de n'acheter que des huiles **biologiques** qui sont exemptes de produits chimiques et qui seront toujours vierges et de première pression à froid.

Des bonnes graisses pour le cerveau

On ne rappellera jamais assez que le cerveau d'un enfant n'est pas entièrement formé à sa naissance. La croissance cérébrale est très importante pendant les 6 premières années de vie. C'est pour cela que les bébés ont l'air d'avoir une grosse tête sur un petit corps. Et ce cerveau a besoin de lipides pour se développer. Plus de la moitié des calories du lait maternel est constituée par les lipides. Cet apport calorique doit encore être de 30 à 35 % chez l'adulte. On comprend aisément qu'au moment où un bébé se met à manger d'autres aliments, il ne faut surtout pas oublier les lipides.

Quand on remplace 200 ml de lait par 200 ml de soupe, on supprime 8 grammes de lipides soit à peu près 2 cuillers à café d'huile. À 5 mois, quand votre bébé prend 4 biberons de lait ou est allaité de façon exclusive, il consomme 40 grammes de lipides, soit au moins 3 cuillers à soupe d'huile par jour. Vous comprenez pourquoi, au moment du passage aux purées, il faudra absolument ajouter entre 1 et 2 cuillers à café d'huile à chaque repas à base de légumes.

Si les matières grasses sont mal choisies, elles deviennent des calories inutiles qui ne sont pas utilisées par l'organisme du bébé et finissent par le faire grossir inutilement.
Pour aider au développement du système nerveux mais également des autres organes, il faut apporter :
- un peu de cholestérol sous forme de beurre ou mieux encore de jaune d'œuf,
- des acides gras essentiels qu'on trouve essentiellement dans les huiles de première pression de colza ou de soja,
- des acides gras monoinsaturés présents dans l'huile d'olive.

En pratique

En pratique donnez chaque jour à votre enfant :
- 1 cuiller à café d'huile d'olive ;
- 2 cuillers à café d'huile de colza ou de soja ;
- 1 cuiller à café de beurre les jours où il ne mange pas de viande, d'œuf ou de fromage.
Vous pouvez répartir ces huiles ainsi :
- 2 cuillers à café de matières grasses à un repas de légumes sans protéine animale ;
- 1 cuiller à café d'huile à un repas avec protéine animale ou protéine lactée ;
- 1 cuiller à café d'huile si le repas comprend 1/2 biberon et une compote.

Indispensable cholestérol !

Le lait humain est trois fois plus riche en cholestérol. Cet élément nous rappelle que le cholestérol est essentiel à la santé et à la croissance de l'enfant. Si nous ne consommons pas assez de cholestérol dans notre enfance, notre organisme sera moins capable de l'éliminer à l'âge adulte.

Les glucides

Certains aliments particuliers peuvent aider à optimiser la santé de votre enfant en lui apportant des micronutriments essentiels. Mais avant cela, il faut que nous parlions de l'introduction des glucides ou sucres.

Des glucides mais pas de sucre

Il est très important pour la santé de votre enfant que vous ne rajoutiez jamais de sucre ni de sel dans ses aliments. Les aliments naturels en contiennent des quantités suffisantes pour la santé de l'enfant. En excès, ils ne feraient que perturber le goût des enfants.

Les glucides à introduire sont les féculents comme les pâtes, le riz et le pain. En terme de besoin nutritionnel, ces aliments ne sont pas indispensables à partir du moment où on utilise des pommes de terre en quantité suffisante dans les soupes et des laitages qui contiennent du lactose (sucre simple). Les autres glucides permettent de varier les repas et surtout d'apprendre au bébé à mâcher.

Au moment des poussées dentaires, le bébé a les gencives agacées et il ressent l'envie de mâcher. À partir de 6 mois, à condition que votre enfant gère bien sa déglutition et les éventuelles « fausses routes », commencez par lui proposer des galettes de riz soufflées. Elles sont très naturelles et plus adaptées que le pain à cette bouche sans dent et pleine de salive. Le riz ne contenant pas de gluten, les intolérances sont moins risquées. Par ailleurs, le pain peut fermenter et donner des troubles digestifs.

C'est seulement dans un deuxième temps que vous proposerez du pain, en enlevant une partie de la mie (qui favorise les fermentations intestinales), avec une croûte pas trop dure en évitant le pain complet trop riche en fibres « dures » qui irritent le côlon.

Mais, s'il vous plaît, évitez tous ces biscuits industriels, qui contiennent du blanc d'œuf, allergisant, et du sucre qui va « polluer » le palais de votre enfant et lui donner de mauvaises habitudes.

Ces petits aliments qui leur font tant de bien

• Persil

Il fait partie des « simples » mais il apporte tant de vitamines qu'il ne doit pas être oublié. Pensez à en mettre dans les soupes de votre enfant à condition de parfaitement le mixer car les bébés ont horreur des « bouts » dans une soupe. Quand il sera plus grand, ajoutez-en dans tous ses plats : purée, omelette, salade…

• Jus de carotte

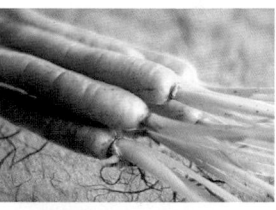

Dès 9 mois, pour alterner avec des jus de fruits, pensez à proposer à votre enfant du jus de carotte qui est tout aussi riche en vitamines. Pour des raisons de goût et d'équilibre, mélangez un peu de jus de carotte avec un peu de jus de fruit et un filet de citron. Jusqu'à 1 an, coupez ce jus d'1/3 d'eau.

• Amande

C'est le fruit oléagineux le plus riche en calcium. Il peut être donné dès le début de la diversification. Utilisez un moulin à café ou un mini hachoir pour bien mixer 2 ou 3 amandes que vous pourrez ajouter dans les compotes, les laitages ou les soupes.

• Graines de lin et de tournesol

Elles apportent des acides gras mais aussi d'autres micro-nutriments excellents pour le développement de l'enfant. La graine de lin a prouvé de multiples intérêts pour notre santé (meilleur transit, protection de l'intestin et des artères…). Pour les utiliser, mélangez-les à 2 amandes dans le mini hachoir et mixez-les parfaitement avant de les ajouter dans les plats de votre enfant.

On peut donner par exemple 2 amandes et 1/2 cuiller à café de graines de lin et autant de tournesol chaque jour. Attention, il est essentiel de moudre ces graines au dernier moment pour bénéficier de toutes les vitamines.

• Germe de blé moulu

Le blé germé ne sera utilisable qu'à partir du moment où l'enfant pourra mâcher. Mais dès 9 mois, vous pouvez ajouter un peu de germe de blé moulu dans ses aliments. C'est excellent et plein de vitamines et oligo-éléments.

Comment répartir les repas entre 6 et 9 mois

La diversification se fait à la même période que les vaccinations et ces deux éléments associés peuvent agresser l'organisme de l'enfant. C'est l'âge où apparaissent souvent les infections ORL à répétition et les dermatoses.

Il faut donc être attentif et ne surtout pas être trop pressé de faire goûter de nouvelles choses à votre enfant.

Le repas du matin

Dans la plupart des cas on continue le biberon de 250 ml de lait $2^{\text{ème}}$ âge auquel on ajoute une demi-galette de riz soufflé en fonction de son envie de « mâchouiller ». Si l'enfant était au sein, on peut continuer la tétée du matin pendant toute cette période.

Si le bébé refuse le biberon, on passe à la bouillie préparée avec du lait $2^{\text{ème}}$ âge et de la farine diastasée sans gluten. Une fois que votre bébé est adapté à cette bouillie, ajoutez du germe de blé moulu, des amandes et des graines de lin mixées ainsi qu'une demi-cuiller à café d'huile de colza.

Au déjeuner

C'est le repas qui va le plus évoluer dans cette période. Si le bébé est nourri au biberon, vous allez commencer par remplacer progressivement le lait par de la soupe comme cela est décrit en page 30. Quand la soupe sera majoritaire dans le biberon, ajoutez-y une petite cuiller d'huile d'olive.

Si le bébé est nourri au sein, passez directement à la purée de légumes et pommes de terre à la cuiller et complétez le repas par une tétée. Dès que votre enfant mange plus de 100 grammes de purée au repas, il prendra de moins en moins le sein. Pensez à ajouter l'huile d'olive.

Dans la moitié du 6ème mois, vous allez introduire les protéines animales. Commencez par un peu de volaille ou de jambon. Le premier jour 1/2 cuiller à café puis 1 cuiller à café 5 jours sur 7 jusqu'à la fin du 6ème mois. Ces protéines seront mélangées à la soupe ou à la purée.

À partir du 7ème mois, on va varier les protéines (pensez au poisson pour son cerveau) et augmenter progressivement leurs quantités à 1 cuiller à soupe soit environ 20 à 30 grammes par jour au 8ème mois. Une fois par semaine on proposera 1 jaune d'œuf (dur pour éliminer totalement le blanc).

La quantité de légumes passe de 100 g au début à 200 g au cours du 7ème mois. Si votre enfant paraît avoir faim vous pouvez terminer son repas par une tétée si vous l'allaitez encore ou bien 60 g de compote dans laquelle vous ajoutez un peu de germe de blé ou de poudre d'amande.

Le repas du soir

Une fois les légumes introduits et bien tolérés à midi, on introduit progressivement, de la même façon, les légumes le soir (entre le 7ème et 8ème mois). Par contre, au lieu d'introduire des protéines animales le soir, on conserve une protéine lactée : tétée ou 1/2 biberon ou yaourt de vache ou de soja ou 20 puis 40 g de fromage de chèvre doux. Pensez à ajouter 1 cuiller à café d'huile de colza dans les légumes et n'hésitez pas à saupoudrer la purée ou le yaourt de germe de blé moulu.

Les jus de fruits

Ils sont souvent mal tolérés par l'intestin des bébés, surtout les agrumes comme l'orange qui ne sera pas introduite avant l'âge d'un an. Si votre bébé dort peu dans la matinée et qu'il prend son biberon du matin très tôt, vous pourrez lui proposer de 20 à 50 ml suivant l'âge d'un mélange composé de 1/3 de jus de carotte, 1/3 de jus de pomme ou abricot ou poire et 1/3 d'eau ainsi que quelques gouttes de jus de citron.

Le goûter

Si le bébé aime téter, un biberon de lait ou le sein constituent une excellente collation. Dans le cas contraire, on peut donner un yaourt de vache au bifidus ou un yaourt de soja en cas d'intolérance au lait de vache. Dans les deux cas, on ajoute 60 g de compote. C'est le meilleur moment pour ajouter des amandes mixées avec des graines de tournesol et de lin. Si vous n'utilisez pas cette technique, ajoutez un peu d'huile de noix ou de colza dans ce mélange compote + laitage.

L'alimentation entre 9 et 12 mois

Après le grand bouleversement de l'alimentation entre 6 et 9 mois, cette période est beaucoup plus simple à gérer.

Pas de dessert sucré !

Vous voulez faire plaisir à vos enfants, c'est naturel. Mais si vous introduisez trop tôt des desserts avec adjonction de sucre, vous pouvez perturber ses goûts et le rendre plus dépendant des sucreries à l'âge adulte, favorisant ainsi le diabète et l'obésité. En leur offrant une douceur, le plaisir que vous leur donnez est immédiat mais c'est un cadeau empoisonné qui risque de leur rendre la vie plus difficile à l'âge adulte.

Fruits frais de saisons

Les oranges sont des fruits qui désaltèrent dans les pays chauds et nous en consommons l'hiver alors que certaines personnes peuvent devenir plus frileuses à cause de ces agrumes. Les fraises sont également pleines de vitamine C et c'est justement au printemps que nous en avons besoin. Les fruits d'été sont pleins d'antioxydants pour nous aider à nous protéger du soleil. Pensez à choisir des fruits de saison qui poussent dans le pays où vous habitez. Ce sont les meilleurs pour votre santé et celle de vos enfants.

N'oubliez pas. Ne vous pressez pas pour faire goûter de nouveaux aliments à votre enfant. Ainsi, la purée de légumes et pommes de terre reste à peu près la même jusqu'à l'âge d'un an. Les quantités se font un peu à la demande, sauf pour les protéines qui ne doivent pas être excessives et les huiles qui doivent être suffisantes. On continue à éviter les sucreries qui ne peuvent que favoriser l'obésité sans apporter aucun nutriment utile à la croissance et à la santé de votre enfant.

Le matin

Le petit déjeuner ne change pas : tétée ou biberon ou bouillie pour l'apport en lait et calcium. En revanche, les dents poussent et l'enfant a besoin de mâcher. On lui propose donc des galettes de riz soufflé ou un peu de pain. Évitez la confiture et les viennoiseries.

Dans la matinée

Si votre enfant est éveillé, proposez-lui une purée de fruits frais ou bien 60 à 90 ml de jus à base d'un mélange de jus de carotte, jus de fruits et filet de citron mais au moins 1h30 avant le repas de midi.

Le déjeuner

À cet âge, le bébé mange en général avec une cuiller. Le repas de base est le même pendant les 3 mois. Seules les quantités évoluent en fonction de l'appétit de l'enfant : 200 g en moyenne de purée de légumes et pommes de terre, 30 g de protéine animale variée, 1 cuiller à café d'huile d'olive et/ou de colza, 100 à 120 g de compote avec un mélange de poudre d'amande et de graines de lin ou bien un peu de germe de blé et d'huile de noix.

Le goûter

Il est toujours basé sur un laitage : yaourt de vache, de brebis ou de soja associé à une purée de fruits frais ou une compote (100 g environ). On y ajoute un peu d'huile de noix ou de colza, un filet de citron et un mélange d'amandes, graines de lin et de tournesol (1 petite cuiller à café du mélange).

Le dîner

Il reste basé sur une soupe ou une purée. Si l'enfant est à l'aise avec la mastication et la déglutition, on peut tester des petites pâtes à potage bien cuites à mélanger dans la soupe si elle est mangée à la cuiller. Ajoutez toujours une cuiller à café d'huile de colza ou de beurre. Vous pouvez ajouter environ 1 jour sur 2 un peu de fromage de chèvre doux (30 à 40 g), mélangé à la purée ou mangé à la cuiller. Le repas se termine par un yaourt de soja (si vous avez donné du fromage) ou de vache s'il n'y a pas de fromage. Ce « dessert » peut être remplacé par un 1/2 biberon de lait 2ème âge. Si vous allaitez encore votre enfant (idéalement, l'allaitement mixte devrait persister jusqu'à 1 an environ), c'est encore mieux !

Pas de cuisson à haute température

La cuisson à haute température - les fritures, mais aussi le gril ou la poêle - favorise le développement de composés carbonés toxiques pour l'organisme. Evitez à vos enfants d'être exposés à ces substances et faites cuire tous leurs aliments à l'eau ou à la vapeur.

L'évolution et la croissance de 0 à 12 mois

Courbes de croissance : à chacun son rythme

Les enfants sont tous différents. Chacun possède des dons dans un domaine et des difficultés dans un autre. On ne peut pas dire que tel enfant n'est pas doué pour telle activité si on ne l'a pas mis dans la bonne situation. Si Mozart avait eu un père différent, il n'aurait pas été le compositeur que nous connaissons.

Cela est vrai aussi bien pour leur développement cérébral que pour leur croissance staturale. C'est pourquoi il est toujours délicat de comparer un enfant à des courbes moyennes. Malgré tout, il est indispensable de tenir à jour leur courbe de poids et de taille car ce n'est pas un point à une date donnée qui compte mais l'évolution de la courbe qui doit être harmonieuse.

Des longs sommeils entrecoupés de repas à ses premiers pas 12 mois plus tard, que d'étapes ! Chaque enfant grandit à son rythme, qu'il est important de respecter.

Il est intéressant de savoir comment se développe votre enfant pour ne pas lui en demander trop mais aussi pour le stimuler dans le bon sens.

• **Jusqu'à 4 mois,** ses activités principales sont manger et dormir ! C'est une période où les contacts visuels se développent doucement et pendant laquelle l'enfant est encore très fragile et doit être protégé, que ce soit du bruit, des lumières vives ou des odeurs fortes. On doit également éviter les gros écarts de température qui l'agressent. Il possède surtout des réflexes dits primaires comme la succion et la faculté d'attraper des choses avec ses mains.

• **À partir de 4 mois** environ, sa vue se développe. Il suit plus facilement du regard et s'intéresse mieux à ce qui l'entoure. Il va commencer à pousser sur ses bras quand il est à plat ventre et essayer de relever sa tête.

• C'est **à partir de 6 mois** que la force des muscles du cou lui permet de tenir correctement la tête et de la relever. Avant cet âge, vous devez donc être prudent avec sa nuque.

Comment stimuler votre enfant

• **Jusqu'à 3 mois,** la meilleure chose à faire est de développer vos contacts charnels. Mettez votre enfant contre votre peau nue. Il reconnaît la voix de ses parents et le rythme cardiaque de sa mère. Il est sensible à votre odeur comme à vos émotions. Ce contact intime est la meilleure façon de le rassurer et de l'aider à développer ses sens. Pensez également à le masser avec de l'huile d'amande douce ou un lait pour le corps hypoallergénique. Pensez que votre enfant a passé 9 mois dans un milieu « aquatique » à 37°C et que sa peau doit s'adapter au monde extérieur.

• **À partir de 4 mois**, stimulez-le quand il est à plat ventre pour qu'il relève la tête afin qu'il muscle ainsi sa nuque.

• **À partir de 6 mois,** sa tête étant tonique, vous pouvez essayer de l'asseoir avec un appui pour qu'il travaille d'autres muscles et profite mieux de son entourage. Attention, à partir de cet âge, vous ne devez jamais quitter votre enfant des yeux car il va bientôt pouvoir se retourner tout seul et risque de tomber de sa table à langer.

• **Vers 8 à 9 mois** un bébé se tient assis tout seul. C'est aussi à cet âge qu'il commence à se relever et à avoir un réflexe de marche si on le maintient debout. Certains enfants n'apprennent jamais à ramper à 4 pattes et marchent directement vers 1 an. D'autres comprennent plus vite comment se déplacer à 4 pattes et marcheront un peu plus tard.

8 mois, l'âge de la peur

Vers 8 mois, l'enfant va prendre conscience de la différence entre « son monde » (lui et ses parents, ses proches) et le monde extérieur. C'est un âge où la visite chez le médecin est plus difficile car l'enfant a une appréhension de l'étranger et craint la séparation d'avec sa mère. C'est un âge où il peut pleurer facilement à la tombée de la nuit et s'endormir plus difficilement car il a l'impression en s'endormant de « s'éloigner » de sa mère. Il faut souvent mettre en place des « rituels » (chansons, câlins…) pour l'aider à entrer calmement dans le sommeil.

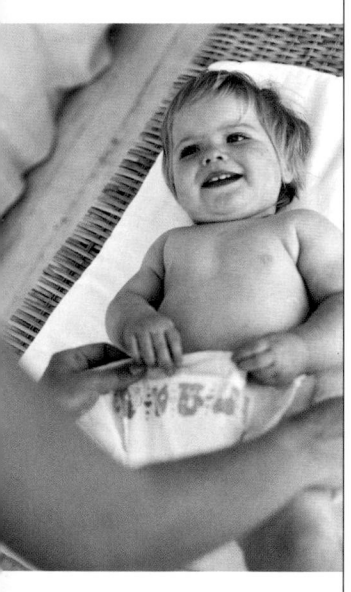

Diarrhée et constipation du nourrisson

L'anomalie du transit se définit plus par la qualité de la selle que par son rythme.

Les selles normales d'un bébé sont molles, presque liquides quand il est au sein et de couleur jaune ou verte (souvent ocre). Le rythme est très variable suivant les enfants : 2 selles par jour en moyenne mais parfois 1 selle après chaque repas et parfois un jour sans selle.

La constipation : fréquente mais rarement grave

Elle correspond à des selles moulées, souvent en petites billes assez foncées. Le nourrisson a du mal à aller à la selle, cela peut être douloureux. Rarement grave, la constipation de l'enfant se résout très bien par une modification de son régime alimentaire. Si toutefois la constipation persiste plusieurs jours, parlez-en à votre médecin.

Si l'enfant est nourri au biberon, vous utiliserez pour diluer le lait de l'eau d'Hépar® dont la richesse en magnésium va accélérer le transit. En général, 1 biberon sur 2 à base d'eau d'Hépar® devrait suffire.

S'il est nourri au sein, donnez-lui des petits biberons d'eau d'Hépar® entre 2 tétées. Cette technique permet de résoudre la plupart des petites constipations occasionnelles. Si au bout de 48 heures d'Hépar® les selles sont toujours moulées, faites-lui boire un biberon de 90 ml d'eau d'Hépar® sucrée avec 1 sucre de 4 g. Le saccharose va augmenter les fermentations digestives et accélérer le transit. Si votre enfant a une alimentation diversifiée, ajoutez des épinards dans sa purée.

Comprendre la constipation

Il est important de comprendre les raisons de la constipation. Deux causes principales sont fréquemment retrouvées : un bébé qui ne boit pas assez et qui est un peu déshydraté ; un lait mal adapté : demandez conseil à votre médecin pour changer de lait.

Il est très rare d'avoir besoin d'utiliser un véritable laxatif. L'homéopathie agit très bien sur la constipation de l'enfant.

La diarrhée

Si votre enfant a de la fièvre ou une diarrhée très importante, consultez votre médecin. Quelle que soit la cause de la diarrhée, des règles hygiéno-diététiques s'imposent.
Supprimer :
- Le lait et tous les dérivés du lait de vache. L'allaitement maternel peut en général être continué. S'il est suspendu, pensez à tirer votre lait pour ne pas interrompre les montées de lait.
- Les jus de fruits et les légumes verts.
Faire boire de l'eau, du bouillon de légumes ou une « solution de réhydratation » (c'est un mélange de minéraux qui s'achète en pharmacie et se dilue dans de l'eau). Il faut proposer régulièrement cette boisson à votre bébé.
Remplacer le lait habituel par une **préparation sans protéines de lait ni lactose.**
Demandez conseil à votre médecin ou votre pharmacien.
Si le bébé mange à la cuiller, privilégier les compotes de « **pommes coings** » et des bouillies à l'eau à base de farine de riz. Vous pouvez aussi proposer des purées de **pommes de terre et carottes. Surveiller le poids du bébé et prendre soin de ses fesses.**
La diarrhée terminée, vous passerez à la **phase de réalimentation** en réintroduisant d'abord les **purées de légumes et pommes de terre.**
Vous pouvez ensuite interrompre les solutions de réhydratation et revenir progressivement au **lait habituel.**

Repas d'un enfant de 7 mois en cas de diarrhée

Matin : biberon avec une préparation sans protéines de lait ni lactose ou bouillie avec 2 à 6 cuillers à soupe de farine diastasée sans gluten et sans lait, préparée à l'eau.

Matinée : solution de réhydratation à la demande (solliciter l'enfant).

Midi : purée de pommes de terre et carottes. Au début, l'enfant ne mange souvent pas plus. Puis ajoutez une cuiller à soupe de protéine maigre et éventuellement une compote pomme-coing.

Goûter : compote pomme-coing et solution de réhydratation.

Dîner : biberon avec préparation sans protéines de lait ni lactose et éventuellement 2 cuillers à soupe de farine 1er âge.

BIEN MANGER POUR BIEN GRANDIR

L'alimentation entre 1 et 3 ans

À partir d'un an, vous allez pouvoir varier l'alimentation de votre enfant car son organisme a mûri. Il faudra en revanche être attentif à l'éducation nutritionnelle que vous allez lui donner pendant cette période où ses goûts vont s'affirmer et où il apprend à dire non.

Quatre petits déjeuners croissance

Le petit déjeuner doit représenter 25 % de l'apport énergétique journalier. On peut envisager 4 types de petits déjeuners entre 1 et 3 ans :

• La bouillie préparée avec du lait de croissance ou de soja enrichi en calcium et des flocons de céréales instantanés de préférence sans gluten (1er âge) ou biologique. Ajouter du germe de blé moulu, quelques amandes moulues avec 1 cuiller à café de graines de lin et 1/2 cuiller à café d'huile de noix.

• Un yaourt de vache au bifidus ou de soja mélangé avec 100 g de compote sans sucre ajouté et un mélange de quelques amandes avec 1 cuiller de graines de lin et 1 cuiller de graines de tournesol ou de courge mixées + 1/2 cuiller d'huile de noix et un filet de citron (crème Budwig adaptée).

Dans la matinée

Un jus de fruit, frais si possible, de 50 à 100 ml suivant l'âge et la soif de l'enfant. Utilisez surtout des jus de pomme, raisin, poire, abricot (mieux tolérés que l'orange), pensez à ajouter un peu de jus de carotte et toujours un filet de citron. Ne donnez rien à manger avec cette boisson.

- Un bol ou un biberon de lait de croissance ou de soja enrichi en calcium, chaud, éventuellement parfumé avec du cacao maigre, en évitant de rajouter du sucre, avec du pain, des biscottes ou des galettes de riz soufflé avec un peu de beurre ou de confiture.
- Un bol de lait de croissance ou de soja enrichi en calcium, avec des céréales simples (véritables corn flakes, riz soufflé, quinoa soufflé, biologiques si possible).

Le déjeuner, repas principal

Le déjeuner doit représenter 35 % de l'apport énergétique journalier. Vous allez varier les aliments et faire évoluer les quantités. La principale différence réside dans le fait que les aliments seront de moins en moins mixés et mélangés entre eux.
- Une protéine animale, cuite de préférence à l'eau ou à la vapeur (viande, volaille, poisson, jambon, œuf) ;
- 2/3 de légumes variés (verts et oranges) et 1/3 de féculents avec 1 à 2 cuillers à café d'huile d'olive ;
- un dessert « végétal » (fruits cuits de préférence)
Il est rare que les enfants apprécient les crudités avant l'âge de 3 ans.

Le dîner, plus léger

Après 1 an, le dîner se rapproche progressivement du repas de midi avec moins de protéines animales et plus de féculents, représentant 25 % de l'apport calorique de la journée :
- un légume sous forme d'une soupe de légumes et pommes de terre ou un mélange légumes verts + féculents ;
- introduction d'une protéine animale « légère » (jambon, poisson, volaille, œuf) environ 4 jours sur 7 ou bien du fromage les autres jours ;
- un dessert type compote, yaourt ou dessert au soja.

Le goûter

Les fruits sous toutes leurs formes ainsi que les laitages sont à privilégier. Il est préférable d'éviter les aliments « farineux » pour le goûter chez les enfants de moins de 3 ans. Ne cédez pas sur les aliments industriels qui apportent trop de sucres et divers additifs chimiques. Les fruits et les laitages naturels ont bien plus d'intérêts nutritionnels.

Menu spécial enfant

Le manque d'information des parents risque d'orienter l'enfant vers de mauvaises habitudes alimentaires. Attention également aux idées reçues !

Attention au surpoids

Une étude publiée en 1998 a permis de montrer une relation entre l'excès de poids chez l'enfant et la mortalité à l'âge adulte. Plus un enfant est gros et plus son espérance de vie à l'âge adulte est réduite. En particulier, un lien a été mis en évidence entre l'excès de calories pendant l'enfance et le risque de cancer à l'âge adulte.

Même si l'enfant va rejoindre progressivement le rythme des repas de ses parents, il ne doit pas manger comme eux. Il a des besoins particuliers. Une alimentation mal équilibrée peut favoriser les infections des oreilles, du nez et de la gorge, les troubles digestifs et gêner sa croissance et son développement cérébral.

Le choix des protéines

Les quantités augmentent progressivement en suivant les goûts et l'appétit de l'enfant. En général, un enfant de 1 an mange 30 à 40 g de protéines par jour puis 50 à 70 g vers 3 ans. La préparation est de plus en plus proche de celle des adultes. À partir de 2 ans environ, l'enfant partage souvent le plat principal de ses parents mais dans tous les cas, évitez les fritures, les grillades et les cuissons à haute température en général.

Toutes les protéines peuvent être utilisées, en respectant le rythme suivant :

- les poissons, frais ou surgelés, cuits à la vapeur ou à l'eau : 2 à 3 fois par semaine ;
- la volaille sans la peau, cuite au four ou à l'eau (c'est très bon !) : 2 à 3 fois par semaine ;

- la viande rouge (bœuf, veau de lait, agneau ou filet de porc) cuite au four ou à l'étouffée ou en cocotte : 1 à 2 fois par semaine ;
- le jambon surchoix, découenné et dégraissé : 1 à 2 fois par semaine ;
- les œufs à la coque ou pochés : 2 à 3 œufs par semaine.
On évite les charcuteries, trop grasses et trop salées. Le foie de veau et la cervelle d'agneau peuvent être proposés de temps en temps.

Les légumes

Proposez le plus souvent possible un mélange de légumes verts + féculents sinon l'enfant risque de faire un rejet des légumes verts et réclamer systématiquement des pâtes ou de la purée. Par contre, dès que ses goûts et ses dents le permettent, vous passez progressivement d'un mélange mixé à des légumes en petits morceaux associés à des pâtes, du riz ou des pommes de terre vapeur. Tous ces aliments doivent être cuits à l'eau ou à la vapeur. Ajoutez toujours une huile vierge de première pression à froid et si possible biologique : huile de soja, de colza ou d'olive.

Le fromage et les desserts

Avec l'âge, vous allez varier les fromages en évitant de les proposer aux repas où il y a de la viande car cela apporte trop de mauvaises graisses. En dehors du chèvre frais (très digeste et bien moins riche en graisses saturées), proposez des fromages à pâte cuite (gruyère dans les plats), des fromages de brebis y compris du roquefort. Les desserts doivent rester simples et peu sucrés. Evitez les desserts industriels et les excès de laitages transformés.

De la variété

Si jusqu'à 1 an, on évitait de trop perturber le tube digestif du bébé, entre 1 et 3 ans, on va profiter de la curiosité de l'enfant pour éduquer ses goûts. Pensez à varier les légumes et introduire progressivement des nouveaux féculents : lentilles ou pois chiches en purée, quinoa, polenta, boulghour d'orge remplaceront efficacement les traditionnelles pâtes. N'oubliez pas d'ajouter 1 à 2 cuillers à café d'huile de bonne qualité à chaque repas.

Pensez à proposer de l'eau entre les repas, surtout l'été mais n'habituez pas votre enfant à boire des boissons sucrées qui sont assimilées à un grignotage, source d'obésité, de caries et de troubles digestifs.

L'alimentation entre 3 et 6 ans

À partir de 3 ans, un enfant peut manger comme un adulte même si certains aliments restent déconseillés.

C'est un âge où l'enfant exprime de plus en plus ses goûts. Il prend aussi de l'indépendance en allant à l'école et il va opposer de plus en plus de résistance à consommer des légumes ou d'autres aliments qu'il apprécie peu. Malgré tout, l'enfant est très influencé par le comportement de ses parents. C'est pourquoi l'alimentation spontanée d'un enfant de 3 ans dépendra beaucoup des habitudes diététiques de ses parents. Si vous voulez que votre enfant ait une alimentation équilibrée et diversifiée, donnez-lui l'exemple !

Pas de stock de sucreries inutiles

Votre enfant va réclamer, et parfois même aller prendre tout seul, les bonbons ou biscuits qui sont dans les placards. Influencé par les copains (ou la pub), il va être attiré par les sodas et autres boissons sucrées. Pour éviter de le tenter, ne remplissez pas vos placards d'aliments sucrés et gras, qui n'apportent que des calories inutiles. Rappelez-vous surtout que l'alimentation ne doit jamais être une récompense si vous ne voulez pas semer cette petite graine qui fait le lit de l'obésité.

Ne cédez pas sur les légumes

Les enfants préfèrent les féculents, c'est normal et ce n'est pas grave. Mais il ne faut pas pour autant qu'ils oublient de manger des légumes et des crudités. Ne cédez pas sur ce point. Je sais, le repas est un combat perpétuel et après une journée fatigante, on n'a pas toujours envie de rentrer en conflit avec ses enfants.

Il faut simplement fixer des règles et s'y tenir :
- on commence par les aliments qu'on aime le moins (les légumes) et on termine par ceux qu'on préfère (les pâtes ou les pommes de terre) ;
- si on ne mange pas les légumes, c'est qu'on n'a plus faim, donc on peut sortir de table et le repas est terminé.
- Repérez les légumes qu'ils aiment le mieux et proposez-les plus régulièrement. Et de temps en temps vous testerez des nouveaux légumes que vous aurez préparés pour vous. Le repas ne doit pas être une punition mais il est une part importante de l'éducation que vous donnerez à votre enfant.

Vive les crudités

Exemples de repas entre 3 et 6 ans

Matin : bol de lait 1/2 écrémé avec du cacao dégraissé comme le Benco® ou le Nesquick® + pain grillé avec du Chavroux® tartiné

ou un œuf à la coque ou céréales peu sucrées avec du lait de soja et une compote

ou adaptation des exemples de repas donnés après 1 an : compote et yaourt avec un mélange d'amandes + graines de lin + germe de blé + huile de noix.

Midi : crudités avec une vinaigrette à base d'huile d'olive et de colza,
une protéine variée en évitant les sauces (viande, volaille ou poisson),
des légumes verts et un féculent (riz, pâtes ou pommes de terre vapeur),
une compote ou un fruit cru.

Goûter : fruit frais avec une poignée d'amandes ou un yaourt mélangé à une compote

Dîner : soupe ou crudités suivant la saison et les goûts de l'enfant,
légumes verts + féculents +/- légumes secs jambon ou œuf ou poisson (pensez aux sardines à l'huile)
et/ou fromage
dessert à base de soja.

Souvent peu appréciées avant 3 ans, les crudités apportent des vitamines, des minéraux et des fibres et permettent de consommer régulièrement de bonnes huiles végétales en assaisonnement. Il est important de leur en proposer régulièrement, pour leur apprendre progressivement à aimer cela.

L'alimentation entre 6 et 12 ans

C'est l'âge de l'école et souvent des repas à la cantine. C'est surtout l'âge où l'enfant prend de l'indépendance. Il va jouer chez les copains et rentre peut-être seul de l'école... Un ensemble de situations où il pourra manger ce qu'il veut, quand il veut !

Votre autorité aura moins de poids et seule l'éducation que vous lui aurez donnée lui permettra d'avoir de bons repères diététiques et de ne pas ingurgiter n'importe quoi.

Le repas familial : un repère

L'alimentation fait partie de notre culture. Nous ne mangeons pas que des aliments : leur dimension symbolique est aussi importante. En France, plus que partout ailleurs, la table joue un rôle dans la convivialité et les rapports humains. C'est pourquoi le repas familial ne doit pas être négligé. C'est un moment d'échange essentiel entre parents et enfants. Éteignez la télé et écoutez ce que vos enfants ont à dire. Et de votre côté, profitez de ce moment pour leur parler de ce qu'ils ont dans leur assiette. Mais encore une fois, l'exemple des parents reste le plus fort. Si votre repas n'est pas équilibré, n'attendez pas de vos enfants qu'ils aient une alimentation saine.

Liberté contrôlée

Depuis 1968, il est interdit d'interdire. Mais cette liberté chérie que la France défend sur tous les continents doit-elle être appliquée sans conscience ? Bien sûr, nous sommes libres de manger ce que nous voulons mais nous sommes aussi libres d'être obèses, de souffrir du regard

Boissons gazeuses dangereuses pour les os

La masse osseuse se crée pendant la croissance. Si les filles ne consomment pas assez de protéines et de calcium pendant cette période cruciale, leur risque de faire de l'ostéoporose à la ménopause est plus élevé. Or, certaines études montrent un lien entre l'excès de sodas et le taux de fractures chez les adolescentes. L'excès de produits sucrés fait diminuer la consommation d'aliments riches en calcium et l'acide phosphorique des sodas augmente l'élimination du calcium osseux.

des autres et de maladies cardiovasculaires. Et de perdre 10 à 20 ans d'espérance de vie.

Laisser une trop grande liberté à nos enfants n'est pas toujours une bonne chose. Donnez-leur de bons repères nutritionnels. Ne les laissez pas acheter et manger ce qu'ils veulent. Ils vous en seront reconnaissants plus tard même s'ils font un peu la tête sur le moment.

L'alimentation quotidienne

Entre 6 et 12 ans, les conseils de base sont proches de ceux des plus jeunes. Seules les quantités et la variété des aliments évoluent. Il faudra surtout s'adapter à la pratique d'un sport (que vous devez favoriser) et à la croissance de l'enfant qui sera accélérée en période pré-pubertaire.

L'enfant va prendre environ 15 à 18 kg principalement sous forme d'os et de muscles. Tout ce qui est pris en plus sera de la graisse superflue.

Il va aussi grandir de 35 cm ! Si votre enfant bouge beaucoup, il doit trouver de l'énergie dans les féculents et les huiles végétales. Sinon, vous devrez limiter sa consommation de pâtes et de sauces.

La liberté n'a pas que du bon

85 % des enfants disent manger ce qu'ils veulent, quand ils veulent. En 1960, ils n'étaient que 25 % à bénéficier d'une telle liberté mais à l'époque, il y avait 5 fois moins d'obèses. Pourtant, aujourd'hui les mêmes enfants se plaignent du manque de communication avec leurs parents au cours des repas.

Dans tous les cas, il a besoin de protéines qui sont les « briques » permettant de fabriquer tous les organes. Plus de la moitié de ces protéines doivent provenir de la viande, du poisson et des œufs. Contrôlez ce qu'il mange à la cantine pour bien équilibrer son repas du soir.

Les nouvelles recommandations alimentaires

Les notions d'alimentation équilibrée évoluent. Le grand public est parfois perdu face aux discussions de spécialistes et aux conseils qui varient continuellement. Si nous évitons de nous laisser influencer par les publicitaires et la pression des lobbies, bien manger n'est pas si compliqué.

Les recommandations alimentaires françaises

En France, les spécialistes conseillent de manger chaque jour :
- 6 à 11 portions de féculents et céréales
- 3 à 5 portions de légumes
- 2 à 4 portions de fruits
- 2 à 3 portions de laitages
- 1 à 2 portions de protéines animales (viandes, poissons, œufs)
- très peu de matières grasses et très peu de sucre
- 1,5 litre d'eau et occasionnellement de l'alcool

Des recommandations critiquées

Cet équilibre alimentaire est sujet à de nombreuses critiques totalement justifiées. De nombreux spécialistes ont émis des remarques qui souvent se recoupent comme le Dr Catherine Kousmine, le naturopathe Robert Masson, l'immunologiste Jean Seignalet et plus récemment un des grands spécialistes américain, le Pr Walter Willett, (université de Harvard).

Tous sont d'accord pour dire que les conseils actuels :
- ne font pas de différence entre bonnes et mauvaises graisses,
- sous-estiment l'importance des graisses végétales pour la santé,

- mettent au même niveau la viande qui augmente le risque de maladies cardiovasculaires et de cancers digestifs et le poisson qui les diminuent,
- ne font pas la différence entre les céréales complètes riches en fibres et en oligo-éléments et les céréales raffinées qui font surtout grossir,
- oublient de mentionner les légumes secs et les oléagineux qui ont une place à part dans une alimentation équilibrée,
- font la part trop belle aux laitages qui ne sont pas la seule source de calcium et qui peuvent être parfois très mal tolérés par l'organisme.

Voici comment on devrait répartir les aliments quotidiens

- Légumes variés, de préférence biologiques, crus et cuits : aux deux principaux repas
- Fruits frais et fruits cuits : 2 à 3/jour
- Céréales complètes et exclusivement biologiques, riz, pommes de terres, quinoa, sarrasin : matin, midi et soir
- Huiles végétales exclusivement biologiques : 3 à 4 cuillers à soupe /jour
- Poissons, volailles et œufs : 1 à 2 fois/jour
- Noix, graines et autres fruits oléagineux, légumes secs comprenant du soja : 1 à 2 fois/jour
- Laitages remplacés, en cas d'intolérance digestive, par un complément de calcium et/ou des eaux riches en calcium : 1 à 2 fois/jour
- Féculents raffinés (pain blanc, pâtes, semoule…) : exceptionnellement
- Viandes, gibiers et abats : 0 à 1 fois/semaine à condition que l'apport en fer soit suffisant.
- Beurre, graisses animales et sucreries : le moins possible.

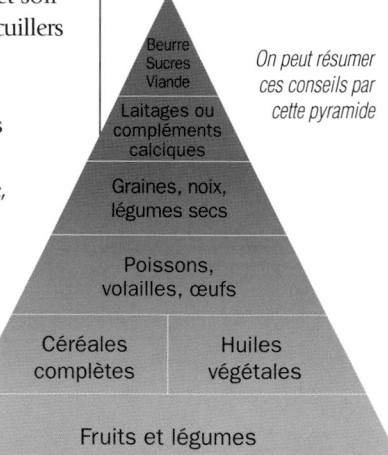

On peut résumer ces conseils par cette pyramide

ALLERGIES ET ALIMENTATION

Les allergies alimentaires

Les allergies alimentaires sont de plus en plus fréquentes. Des tests cutanés ou une prise de sang mettant en évidence des anticorps spécifiques permettent de les diagnostiquer.

Il n'existe pas d'explication scientifiquement prouvée pour justifier cette augmentation importante des allergies mais beaucoup incriminent l'emploi de plus en plus fréquent d'additifs dans les aliments industriels (colorants, conservateurs, arômes artificiels...), de pesticides et autres produits chimiques dans l'agriculture intensive. Il est prouvé que la diversification trop précoce de

Les aliments en cause

Ils sont très nombreux mais certains sont plus fréquemment retrouvés :
blanc d'œuf : 31,5 %
arachide : 18,1 %
lait : 12,6 %
poisson : 12,6 %
Viennent ensuite le soja, la noisette, le bœuf, les crustacés, la moutarde, la noix de coco, les kiwis et le porc qui regroupent ensemble 15 % des cas.
Le poulet, le lapin, l'ail, la tomate, la carotte, l'amande, la pêche, la farine de blé, la levure de boulanger représentent à eux tous 10 % des cas.
Ces chiffres sont ceux de l'allergie vraie mais pas de l'intolérance.

l'alimentation chez le nourrisson (avant 5 mois) et l'absence d'allaitement sont des facteurs favorisants majeurs du développement des allergies alimentaires.

Allergie ou intolérance ?

L'allergie est définie par les spécialistes comme le développement d'anticorps particuliers (les IgE), spécifiques d'un élément particulier. En cas d'allergie réelle, les symptômes peuvent être très violents (c'est le cas de l'allergie à l'arachide qui a tué de nombreux enfants). Mais devant des symptômes plus frustres, on peut évoquer non pas une réelle allergie (on ne trouve pas ces fameux IgE) mais plutôt une « intolérance ». Il n'existe aucun moyen de faire le diagnostic formel d'une intolérance alimentaire. La seule solution est d'exclure totalement l'aliment suspecté pendant plusieurs semaines puis de le réintroduire. C'est souvent à ce moment-là que les symptômes de l'intolérance seront les plus évidents.

Une solution radicale

Il n'existe aucun traitement médicamenteux efficace pour faire disparaître ces allergies. Le traitement passe par l'éviction totale de l'allergène pendant une durée indéterminée. Si votre enfant présente une véritable allergie, il faudra faire très attention aux aliments que vous choisissez pour lui. En particulier pour les allergies à l'œuf, au lait ou à l'arachide car ces aliments peuvent se cacher dans des aliments inattendus. Par exemple, il y a du lait dans les biscuits apéritifs et de l'arachide dans certaines pâtes d'amandes. Si on est plutôt face à une intolérance, un écart est moins grave mais peut faire réapparaître une pathologie chronique comme des otites à répétition ou un eczéma.

Des symptômes très variables

Souvent, les signes cliniques de l'allergie sont évidents : urticaire, œdème, asthme, mais parfois, ils seront plus frustres ou moins spécifiques.

On peut observer :

- Sur le plan **digestif** d'abord et avant tout : colite, diarrhée, douleurs abdominales, alternance diarrhée/constipation, flatulences et gaz.

- Sur le plan **cutané** : urticaire, eczéma, prurits, œdème de Quincke...

- Sur le plan **général** : nervosité et cris sans raison évidente, troubles du sommeil, rhino-pharyngite à répétition, otites séreuses, broncho-pneumopathies récidivantes et souvent asthmatiformes.

Devant toute pathologie récidivante chez un enfant, il faudra penser à une cause nutritionnelle, même s'il peut exister plusieurs facteurs associés.

L'enfant allergique et l'alimentation

En dehors des allergies alimentaires, il arrive que des enfants aient un « terrain allergique ». Ils peuvent avoir de l'eczéma, de l'asthme, du rhume des foins, etc. Dans ces cas, certains aliments peuvent aggraver ce terrain et les symptômes qui lui sont liés sans que l'enfant soit allergique à l'aliment lui-même.

Allergies en pleine évolution

Tous les observateurs sont d'accord pour affirmer que le nombre d'enfants allergiques est en forte augmentation. Une vaste étude mondiale publiée en 1998 montrait par exemple qu'en 30 ans, le nombre d'asthmatiques en Grande-Bretagne était passé de 4 % à 20 %. En France les chiffres sont proches. 20 % des enfants présenteraient une allergie aux acariens et 18 % ont un rhume des foins. Plus grave, on estime à 60 % le nombre d'asthmes mal suivis médicalement car les affections allergiques sont encore trop mal dépistées.

L'histamine : centre de la réaction allergique

L'histamine est une des principales molécules responsables de la réaction allergique. C'est elle qui entraîne l'urticaire de l'allergie à la fraise.

Les principaux aliments à éviter en cas de terrain allergique :

Fromages fermentés : emmental, parmesan, roquefort, gouda, camembert

Charcuterie : saucisson, jambon et toute la charcuterie emballée

Blanc d'œuf

Poissons, coquillages, crustacés : thon, sardine, saumon, anchois, conserves de poissons (thon, anchois, maquereau, œufs de poissons)

Légumes : tomate, épinard, choucroute, petits pois

Fruits (frais, jus, confitures, glaces et sorbets) : banane (et farine en contenant), fraises, agrumes

Oléagineux : noix, noisettes (praliné, glace, biscuits, bonbons, céréales), cacahuètes

Chocolat et cacao : barre, pâtisserie, glace, boisson, poudres et céréales cacaotées

Boissons alcoolisées : bière, vin de noix, liqueur de noisette ... mais pas le vin rouge.

Quand on entre en contact avec un allergène (acarien par exemple), notre organisme va « libérer » de grandes quantités d'histamine : elle engendre cette réaction violente qu'est l'allergie.

Certains aliments sont connus pour favoriser la libération d'histamine. Sans que l'enfant soit réellement allergique à l'aliment, sa consommation entraîne une production d'histamine par le corps et des réactions de type allergique, moins violentes mais très désagréables. D'autres aliments contiennent directement de l'histamine et chez certains enfants sensibles, leur consommation va entraîner des symptômes allergiques comme si l'organisme avait lui même fabriqué cette molécule. Ces aliments doivent être évités en cas de terrain allergique (*lire encadré*).

Les allergies aux métaux

Les allergies aux métaux, plus rares, devront être suspectées si les symptômes évoquant une allergie persistent malgré l'éviction des principaux aliments à risque. La mise en évidence de ce type d'allergie nécessite la consultation d'un spécialiste.

Le nickel donne surtout des allergies de contact. On le trouve en particulier dans les bijoux de mauvaise qualité ou dans des accessoires vestimentaires comme les boutons pressions. Toutefois, certains aliments sont riches en nickel et peuvent donner des symptômes digestifs ou généraux de type allergique.

Le cobalt se trouve, lui, surtout dans les ciments, les colorants et certains alliages. On en trouve aussi dans des engrais et dans certains additifs alimentaires. Les aliments les plus riches en cobalt sont : abricots, betteraves, bière, cacao, café, thé, choux, clous de girofle, coquilles Saint Jacques, foie, haricots, noix, pain complet.

Les aliments riches en nickel

- cacao, chocolat et tous les produits chocolatés
- coquilles Saint Jacques
- noix, noisettes, amandes, cacahuètes, noix de cajou
- lentilles, haricots secs, pois chiches
- petits pois , brocolis, maïs
- pain au blé complet, produits au blé complet (pâtes)
- produits contenant les céréales suivantes : soja, maïs, sarrasin, avoine, seigle
- thé

L'intolérance au lait de vache

L'intolérance au lait de vache et à ses dérivés est beaucoup plus fréquente qu'on ne le pense. Mais pas de panique, des solutions existent.

Les symptômes de l'intolérance au lait de vache

L'intolérance au lait de vache peut favoriser de nombreuses pathologies. Je citerai les principales mais il faudra y penser devant toute pathologie chronique inexpliquée, surtout chez l'enfant mais aussi chez l'adulte :
- infection ORL à répétition
- eczéma et toute dermatose à composante allergique
- troubles digestifs à type de colite et diarrhée
- migraines et céphalées
- trouble du comportement à type d'hyperactivité, manque de concentration ou agressivité
- douleurs articulaires à répétition touchant plusieurs articulations sans notion de traumatisme.

Avoir mal au ventre, des nausées, des boutons, de la diarrhée après avoir consommé des laitages peut paraître tout à fait normal à certaines personnes. J'ai rencontré de nombreux patients qui disent ne pas tolérer le lait mais consomment d'autres laitages comme les yaourts ou le fromage car leurs symptômes sont plus acceptables. Et pourtant, les dérivés du lait auront, à long terme, les mêmes conséquences que le lait lui-même sur votre santé si vous y êtes intolérant.

Allergie ou intolérance ?

La véritable allergie aux protéines du lait de vache n'est pas très fréquente.

Elle apparaît souvent chez le nourrisson, parfois brutalement lors de l'introduction du lait chez un enfant nourri au sein, parfois plus progressivement. Dans tous les cas, on peut observer une diarrhée plus ou moins marquée mais surtout une malabsorption des nutriments qui vont

entraîner une mauvaise croissance. On dit que le bébé va « casser » sa courbe de poids. Le seul traitement, une fois le diagnostic posé, est d'exclure totalement les dérivés du lait pendant plusieurs mois, voire plusieurs années. Par la suite, on peut éventuellement essayer de réintroduire les laitages dans l'alimentation car cette allergie peut s'atténuer avec le temps.

Les intolérances au lait de vache et à ses dérivés, plus fréquentes, sont liées à plusieurs éléments :

* Les protéines du lait, encore une fois, car pour un enfant qui n'est pas allaité, c'est le premier aliment qu'il va rencontrer, à un âge où son intestin est très perméable. Il peut donc devenir intolérant à cet aliment rencontré trop tôt.

* Les caséines du lait qui sont une des protéines du lait. Elles sont beaucoup moins allergisantes mais présentent deux risques :

- elles sont plus difficiles à digérer et peuvent favoriser des intolérances digestives ;

- elles peuvent se transformer en caséomorphines (molécules proches de l'opium) et donner des troubles du comportement chez des enfants prédisposés.

* Le lactose, le sucre du lait, car certains enfants perdent très tôt leur lactase, l'enzyme qui permet de digérer ce sucre. Mal digéré, le lactose entraîne alors des fermentations avec gaz et colite qui perturbent l'enfant.

Comment remplacer le lait de vache et ses dérivés ?

Le **lait de soja** et ses dérivés : il faut être très attentif aux réactions de l'enfant car dans 10 % des cas, il existe aussi une allergie au soja. Choisir des laits, yaourts et desserts au soja enrichis en calcium.

Les autres laits végétaux comme le **lait d'amande** (riche en calcium), de châtaigne ou de riz. Ces laits très digestes sont, contrairement au lait de soja, carencés en protéines de bonne qualité.

Les dérivés du **lait de chèvre** et de brebis : ils sont souvent bien tolérés (surtout les fromages). Rappelez-vous que ces laits contiennent aussi du lactose. Pour mieux les accepter, il faudra que l'enfant ait une flore intestinale de bonne qualité grâce à l'emploi de probiotiques. Reportez-vous au chapitre sur les compléments nutritionnels.

L'intolérance au gluten

L'intolérance au gluten peut apparaître chez le nourrisson au moment de la diversification alimentaire et de son premier contact avec les dérivés du blé.

Le blé est apparu dans l'alimentation humaine il y a seulement 10 000 ans. Une goutte d'eau sur l'échelle de l'évolution. Pendant les centaines de milliers d'années qui précédèrent, nos ancêtres n'ont jamais rencontré cet aliment si bien que nos gènes n'y étaient pas préparés. Ainsi certains d'entre nous, pour des raisons essentiellement génétiques, sont intolérants à certaines protéines du blé. Le blé est une céréale complexe qui contient trois fois plus de gènes que l'homme.

L'allergie au gluten : fréquente et spectaculaire

Elle est appelée « maladie cœliaque » et se traduit essentiellement par des diarrhées violentes liées à une importante inflammation de la muqueuse intestinale pouvant nécessiter une hospitalisation assez longue le temps que l'intestin « cicatrise ».

À côté de cette allergie, il existe chez 30 % de la population une forme moins brutale qu'on appelle intolérance au gluten qui n'implique pas les mêmes mécanismes immunitaires. Les symptômes peuvent être digestifs du type selles molles et colite mais on peut aussi observer des dermatoses comme de l'eczéma et des troubles du comportement du type hyperactivité et agressivité. Chez l'enfant, il peut exister des troubles plus importants pouvant aller jusqu'à des comportements autistiques.

Comment éliminer le gluten

Le gluten est surtout présent dans le blé mais on en trouve en quantités variables dans beaucoup de céréales : seigle, orge, avoine, kamut, épeautre et tous leurs dérivés. Pour cette raison, la première farine introduite sera exclusivement à base de riz pour éviter un contact trop précoce avec ce gluten très allergisant. Le seul traitement efficace de l'intolérance au gluten est l'exclusion totale de toute trace de cette protéine.

Intolérance au gluten : quels aliments consommer ?

Autorisés	Interdits
• Riz, maïs et toutes les farines à base de ces deux céréales. Le sarrasin, le millet, le tapioca.	• Blé et tous ses dérivés : pain, pâtes, pâtisseries, farine et sauces à base de farine, semoule, pilpil... Seigle et ses dérivés, orge, avoine et ses dérivés, flocons d'avoine.
• Pommes de terre. Pain, pâtes et pâtisseries sans gluten spécialement conçus pour les enfants intolérants.	• Viennoiseries, pain d'épice, flocons de céréales. Pommes de terre transformées (pommes noisettes, pommes dauphines, gratins...).
• Viandes et poissons nature, frais ou surgelés. Œufs. Jambon blanc et jambon cru.	• Viandes et poissons cuisinés en conserve ou par un traiteur. Poissons et viandes panées. Quenelles, surimi, charcuteries en général.
• Légumes et crudités frais ou surgelés sans additifs. Marrons.	• Soupes en sachets ou en briques. Conserves de légumes cuisinées. Sauces en conserve ou surgelées.
• Lait de soja et ses dérivés. La plupart des fromages (surtout chèvres et brebis).	• Laits « parfumés », fromages à moisissures.
• Sucre, confiture pur sucre, miel. Fruits, pâtes de fruits, pâte d'amande. Cacao pur, chocolat noir. Sorbets.	• Crèmes dessert industrielles, mousses au chocolat, nougats, bonbons. Préparations pour petit déjeuner.
• Toutes les boissons, jus de fruits, colas...	• Levure.

Cette liste n'est bien sûr pas exhaustive. Si vous êtes concerné, demandez conseil à votre médecin.

Traiter naturellement les infections ORL

Une alimentation mal équilibrée ou une intolérance alimentaire peut également être à l'origine d'infections ORL à répétition. L'homéopathie et la phytothérapie sont alors d'un grand secours. Mais attention, aucun traitement n'est efficace sans prise en charge diététique. Pour diminuer la sensibilité aux infections hivernales, pensez aux vitamines, oligo-éléments et anti-oxydants (vitamines B6, C et E, caroténoïdes, sélénium, zinc et cuivre). Il existe des produits spécialement formulés pour les enfants comme Azinc junior® en pharmacie. L'utilisation des oligo-éléments comme Ergybiol® ou les oligosols sont très efficaces pour prévenir ces infections. Les plantes comme le cyprès, l'échinacée sont de bons protecteurs pour l'hiver. Demandez conseil à votre médecin.

Eczéma, que faire sur le plan diététique ?

Chez le jeune enfant, l'eczéma ou les infections répétées peuvent être favorisées par une alimentation mal équilibrée ou une intolérance alimentaire.

Le terrain allergique est sans aucun doute la principale cause de l'eczéma mais juste derrière on trouve un élément fondamental : la carence en acides gras poly-insaturés. Si votre enfant a de l'eczéma, il faudra absolument enrichir son alimentation en huiles végétales et en poisson (*lire encadré*). Si vous allaitez, c'est à vous de suivre ces conseils.

Comment modifier l'alimentation

Quel que soit le traitement conseillé par votre médecin, il peut être utile de modifier l'alimentation de votre enfant.

Il faut éviter au maximum :
- le grignotage qui, en plus de faire grossir, surcharge le système digestif ;
- tout excès de consommation d'un aliment, quel qu'il soit ;
- la consommation de fruits crus aux repas ;
- les excès de graisses cuites (fritures, sauces, chips …) ;
- les excès de sucres rapides (sodas, sucreries, pâtisseries, ketchup …) ;

mais surtout, à côté de ces règles de bon sens, un des points essentiels sera de **supprimer tous les dérivés du lait de vache**.

Nous avons régulièrement constaté que l'état de santé des enfants ayant des pathologies à répétition est souvent aggravé par la consommation de lait de vache ou de ses dérivés (*lire page 62*).

Comment organiser les repas

Matin : bol de lait de soja ou d'amande au chocolat ou tisane ou chicorée avec céréales sans miel ni lait ni fruit (Corn Flakes ou Choco Crispies® ou Crispix®)

ou bien pain grillé avec œufs à la coque et / ou jambon

ou bien yaourt de soja mélangé à une compote, des amandes, des graines de lin et du germe de blé moulu

Midi : une entrée à base de crudités
une protéine animale sans sauce (viande, poisson ou œuf)
des légumes et des féculents
une compote
éviter le pain, le fromage et les fruits crus et les desserts lactés

Goûter : fruits crus et/ou cuits avec quelques fruits oléagineux
ou bien un fruit avec un yaourt de soja

Dîner : soupe ou crudités ou produits de la mer (thon, sardine ...)
légumes verts et féculents et/ou légumes secs
fromage de chèvre ou brebis
ou poisson ou jambon
ou œufs ou tofu
dessert au soja ou compote
éviter les tartes salées avec de la crème ou du fromage comme les quiches ou les tartes aux légumes

Des acides gras contre l'eczéma

Il est souvent utile de faire des tests cutanés pour savoir à quoi votre enfant est allergique. Le poisson par exemple peut aggraver l'eczéma. Dans ce cas, il faut donner des huiles de poisson mais pas leur chair. Je prescris souvent aux enfants allergiques : de **l'huile de bourrache** et d'**onagre**, de l'huile de **cameline** et de l'huile de **foie de morue** désodorisée. Ces huiles ont une action sur le terrain allergique et sur la peau sèche par leur apport en acides gras essentiels. L'homéopathie est souvent très efficace dans cette pathologie.

Les meilleures boissons

L'enfant est un grand consommateur de boissons de toutes sortes. Malheureusement, son choix se porte trop souvent sur des boissons qui sont mal équilibrées et source fréquente d'obésité.

Le sucre dans les colas

Savez-vous qu'un litre de cola contient 120 g de sucre soit 30 morceaux de sucre ? Lorsque votre enfant boit une canette de cola de 33 cl, c'est comme s'il mangeait 10 morceaux de sucre pur ; 120 g de sucre c'est l'équivalent de 500 g de riz ! Alors s'il vous plaît, ne laissez pas vos enfants consommer ces boissons à volonté !

Un enfant en pleine croissance a besoin de boire. Plus il bouge, fait du sport, plus il a besoin de s'hydrater. Les besoins hydriques de l'enfant sont nettement supérieurs à ceux de l'adulte si on les rapporte à sa taille.

L'enfant de poids normal a besoin également de consommer régulièrement du sucre, à la fois pour sa croissance cérébrale et plus encore s'il est très sportif. Mais s'il est important de boire entre les repas, la consommation des sucres doit se faire essentiellement au cours des repas. En effet, quand l'enfant mange ou boit du sucre en dehors des repas, cela entraîne une élévation du taux de sucre dans le sang (hyperglycémie) puis 1 à 2 heures plus tard, une chute du taux de sucre dans le sang (hypoglycémie). L'hyperglycémie est source de prise du poids mais surtout l'hypoglycémie entraîne des fringales qui incitent les enfants à manger à nouveau. C'est ce mécanisme qui explique que les boissons sucrées sont source de grignotage et d'obésité.

L'eau

Elle reste la meilleure boisson pour assurer les besoins d'hydratation de l'organisme. Il faut de préférence utiliser des eaux peu minéralisées à faible résistivité comme l'eau de Volvic® ou l'eau de montagne Carrefour®.

L'eau gazeuse n'est pas mauvaise pour l'enfant, même en bas âge, mais pas avant 2 ans en général. Elle est trop salée et apporte trop de minéraux pour un nourrisson. Entre les repas, la meilleure boisson reste l'eau plate.

Les jus de fruits

Ils apportent des minéraux et du sucre. Mais l'absence des fibres des fruits entraîne une absorption du sucre plus rapide. Il faut éviter tous les jus de fruits industriels ou avec du sucre ajouté. Préférez des jus de fruits frais, éventuellement à la centrifugeuse. Sinon, choisissez des jus de fruits 100 % pur jus sans additifs ni sucre. Le moment idéal pour les consommer : vers 11 heures ou 16 heures. Au cours du repas, ils peuvent gêner la digestion.

Les sirops, en petite quantité et suffisamment dilués ne sont pas mauvais pour la santé mais il ne faut jamais les proposer au cours du repas. En mangeant, la seule boisson permise doit être l'eau.

Les sodas

Les plus consommés par les enfants sont certainement les colas. Ils sont à la fois très sucrés pour leur plaire et représentent la liberté, l'interdit, le monde adulte véhiculés par la publicité. En consommant des sodas, ils consomment des symboles mais ils prennent le risque d'entrer dans la spirale de l'obésité. Evitez d'en acheter et si vos enfants vous en réclament, choisissez-les sans sucre pour qu'ils prennent l'habitude de faire attention à leur poids.

Et si on essayait les jus de légumes ?

Les jus de légumes sont excellents pour la santé. Le jus de tomate est le plus connu. Il est un peu acide mais tellement riche en lycopène, un pigment fondamental pour la santé. Le jus de carotte doit être essayé. Il est savoureux allongé d'un filet de citron et bourré de pro-vitamine A (bêta-carotène). Mais les rayons de votre magasin de diététique regorgent d'autres mélanges de jus de légumes à faire goûter à vos enfants.

Les repas à l'école

Plus votre enfant grandit et plus il prend une partie de ses repas en dehors de votre présence. Mais le poids de votre éducation sera encore une fois essentiel pour influencer ses choix.

À la cantine à midi

La qualité s'améliore progressivement et il existe même des écoles qui proposent des aliments biologiques. Par contre, le principe du self-service se généralise, laissant à l'enfant une part de liberté dans la composition de ses repas. Si cela lui évite de laisser dans l'assiette un repas complet qu'il n'aime pas, cette « liberté » peut avoir des effets pervers chez un enfant qui ne choisit qu'en fonction de ses goûts, sans connaissance de l'équilibre alimentaire.

Pour l'aider à équilibrer ses repas vous pouvez lui donner des repères.

Il faut choisir une crudité en entrée, même si elle est accompagnée d'un œuf dur ou de thon. Bien sûr, vous n'empêcherez pas votre enfant de choisir une tarte salée ou une pizza les jours où la cantine en propose.

Il peut choisir la protéine qu'il préfère, même si elle est panée, pour s'assurer qu'il mange un repas consistant.

Demandez-lui d'avoir toujours du « vert » dans son plateau. S'il a pris des crudités, il peut choisir des féculents en limitant les frites à

Un carnet pour prendre de bonnes habitudes

Demandez toujours à votre enfant ce qu'il a mangé à midi et prenez l'habitude de le noter dans un petit carnet qui vous permettra de parfaire son éducation nutritionnelle. À chaque fin de semaine, vous pouvez faire le point avec lui sur ce qu'il a mangé dans la semaine. Bien sûr, ce discours ne doit jamais être fait sur le ton du reproche. Le seul but est de lui apprendre à bien manger, sans notion de bien ou de mal. Il a toujours le droit de « dévier », il faut simplement qu'il cherche à s'améliorer. C'est une notion bien plus positive !

1 fois par semaine. Expliquez-lui que l'idéal est de prendre un peu de légumes et un peu de céréales. Prendre du fromage ou un dessert lacté. S'il a pris du fromage, il devrait choisir un fruit (cru ou cuit ou en sirop). Demandez-lui de ne manger qu'un seul morceau de pain, sauf si le repas n'est vraiment pas très bon et qu'il a très faim.

Les goûters à l'école

Quand l'enfant est petit, le goûter est parfois fourni par l'école. Vous n'avez donc pas la possibilité d'agir sur sa composition. En revanche, quand les parents doivent eux-mêmes donner le goûter de 4 heures, c'est une nouvelle bonne occasion de faire l'éducation nutritionnelle des enfants. On voit dans le cartable des enfants le pire et le meilleur et une influence grandissante de la publicité.

Pour éviter les erreurs, fuyez les aliments industriels pour revenir à des aliments de base, sains et naturels (*lire encadré*). Sachez que la plupart des gâteaux industriels sont riches en graisses saturées et en acides gras « trans », très mauvais pour nos artères.

> Avec un peu d'imagination et de bon sens, on peut donner à nos enfants des goûters très équilibrés et qu'ils apprécient tout autant

Des idées de goûter

Commencez par proposer de l'eau plutôt que des sodas. Éventuellement des eaux aromatisées ou un jus de fruit s'il est bien toléré par l'enfant.

Le pain est beaucoup moins sucré que les gâteaux : évitez le pain de mie qui est un sucre trop rapide et privilégiez le pain complet s'il est biologique. Emballé dans du papier cellophane il se conservera très bien.

Ajoutez du fromage ou du chocolat ou un peu de beurre et de confiture suivant les goûts de votre enfant.

Proposez-lui aussi des fruits secs (banane ou abricots secs), des fruits oléagineux (une poignée d'amandes ou de noisettes) et un fruit frais (pomme, banane) s'il accepte de les manger.

Et pourquoi pas un bonbon pour le remercier de ses efforts et afin qu'il ne soit pas trop frustré de ne pas avoir les mêmes gâteaux que les copains !

Et tout en protégeant la santé future de votre enfant, vous allez même faire des économies !

L'obésité, une véritable épidémie

L'obésité est en progression partout dans le monde. On parle aujourd'hui d'une véritable épidémie non infectieuse. Les États-Unis sont les plus atteints mais l'Europe suit de très près.

Les petits Français de plus en plus gros

En France, si l'obésité chez l'adulte est en augmentation régulière (+ 5 % par an), c'est l'obésité de l'enfant qui est la plus alarmante. Par exemple, le nombre de fortes obésités à l'âge de 10 ans est passé de 3 % en 1965 à 12 % en 1995. C'est d'autant plus inquiétant que l'obésité infantile entraîne un risque de mortalité cardiovasculaire à l'âge adulte majoré de 50 à 80 % par rapport à un groupe de personnes n'ayant pas de problème de surpoids.

Aujourd'hui, aux États-Unis, les dépenses de santé liées à l'obésité ont dépassé celles liées au tabac. C'est plus de 300 000 personnes qui meurent chaque année aux États-Unis des complications de l'obésité soit l'équivalent de trois avions 747 qui s'écraseraient chaque jour !

Si les prévisions se confirment, l'évolution de l'obésité en France, en particulier chez les enfants, nous fera atteindre la situation américaine à l'horizon 2020.

Dépister le plus tôt possible

35 % des enfants obèses avant la puberté le resteront à l'âge adulte ; ce chiffre monte à 60 % pour les enfants qui sont toujours obèses après la puberté.

Jusqu'à 2 ans, aucune inquiétude sur le poids de votre enfant. Un beau « bébé cadum » est souvent signe d'un enfant en bonne santé et ne doit pas vous faire restreindre son alimentation.

C'est entre 4 et 6 ans que le risque d'obésité doit être dépisté. Pour cela, on doit mesurer la « corpulence » de l'enfant qu'on appelle aussi « Indice de Masse Corporelle » (IMC) et qui se calcule par la formule suivante : Poids (en kg) / Taille (en m) au carré. Cette courbe est présente dans le carnet de santé de votre enfant.

La corpulence d'un bébé augmente de façon importante jusqu'à 1 an puis diminue au moment où l'enfant commence à marcher. La diminution de l'IMC doit se poursuivre jusqu'à 6 ans où il existe ce qu'on appelle un « rebond pondéral » : l'IMC recommence à augmenter jusqu'à l'adolescence.

Si le rebond pondéral est précoce, c'est-à-dire que l'IMC remonte trop tôt, avant l'âge de 6 ans, souvent entre 4 et 5 ans, c'est signe que le risque d'obésité de l'enfant est élevé.

Les causes de l'obésité chez l'enfant

- **Le grignotage** : ce ne sont pas tant les bonbons qui sont en cause mais plutôt les boissons sucrées (sodas en particulier) et les aliments gras et sucrés comme les chips, les biscuits apéritifs et tous les gâteaux dont l'industrie alimentaire nous abreuve (barres chocolatées en tête !).

- **Les repas déstructurés** ou mal équilibrés : manque de légumes et excès de féculents, de fritures, de pizza ou de fast-food au cours d'un repas arrosé de boissons sucrées et de ketchup.

- **La sédentarité** : bien sûr, nos habitudes alimentaires, en partie influencées par la publicité, ont mal évolué. Mais la plus grande cause culturelle de l'obésité réside dans le développement de la télévision et des jeux vidéo qui font oublier aux enfants d'aller courir dehors.

Une vie plus compliquée

Les enfants obèses rencontrent bien plus de difficultés relationnelles avec leurs copains de classe et dans leurs efforts de séduction que les enfants sans problème de poids. Cela peut entraîner de l'agressivité ou un repli sur soi. Les problèmes liés à l'image corporelle pendant l'enfance et l'adolescence peuvent aussi laisser des traces à l'âge adulte, et notamment des troubles du comportement alimentaire et une attitude obsessionnelle vis-à-vis du poids et des régimes.

Bien sûr, l'obésité donne rarement de véritables maladies chez l'enfant mais on voit de plus en plus d'adolescents souffrir d'hypertension artérielle et depuis quelques années, nous avons vu surgir de véritables diabètes « gras » chez l'enfant (diabète de type II) alors que jusqu'ici, cette maladie était réservée à l'adulte de plus de 40 ans.

Lutter contre l'obésité

Il y a huit fois plus d'enfants obèses dans des familles où les parents sont eux-mêmes obèses. Parents, vous êtes en première ligne pour agir !

Tout un système éducatif à revoir

Nous faisons tous des enfants pour leur donner ce qu'il y a de meilleur, nous les aimons tendrement. Alors pourquoi les laissons-nous avoir des comportements qui vont réduire leur espérance de vie, les faire souffrir de maladies cardio-vasculaires, de diabète, d'arthrose, les gêner dans leur vie sentimentale ? Tout simplement parce que nous n'avons pas conscience des complications gravissimes que cette obésité aura pour eux, parce que nous ne savons pas ou nous ne voulons pas leur dire non. Et peut-être parce que nous ne sommes nous-mêmes pas capables de contrôler notre alimentation et notre poids.

Dispenser des conseils, éduquer nos enfants, passe avant tout par l'exemple qu'on leur donne. Ensuite, il vous faudra peut-être l'aide d'un médecin spécialisé dans le comportement alimentaire et la nutrition pour vous accompagner dans cette démarche ô combien difficile : « apprendre à un enfant à bien se nourrir ».

Tout ceci nécessite un peu de fermeté et beaucoup de patience mais l'amour que vous portez à vos enfants sera votre meilleur

8 conseils pour éviter l'obésité

Dès le plus jeune âge :

1 - incitez votre enfant à bouger

2 - inscrivez-le dans un club de sport

3 - limitez la télévision et les jeux vidéo

4 - apprenez-lui les aliments, les nutriments et leur importance pour la santé

5 - ne le laissez pas prendre de mauvaises habitudes comme boire sucré au repas

6 - évitez de remplir vos placards ou votre réfrigérateur d'aliments trop caloriques et pourtant si tentants

7 - préparez des repas équilibrés et exigez de vos enfants qu'ils mangent un peu de tout

8 - et n'oubliez pas de privilégier des repas en famille, au calme et sans télévision.

guide. Et si ces efforts doivent vous aider à mieux manger vous-même, toute la famille aura gagné en santé et en espérance de vie.

Éduquer plutôt qu'interdire

L'obésité est une maladie du comportement. Les bonnes habitudes doivent s'acquérir le plus tôt possible. Changer d'habitude c'est avant tout changer d'attitude vis-à-vis de l'alimentation. On doit manger pour se nourrir, pour aider son organisme à se développer, pour entretenir sa santé. Voilà le type d'attitude que vous devez inculquer à vos enfants pour qu'ils adoptent de bonnes habitudes alimentaires.

Si l'alimentation est uniquement synonyme de plaisir immédiat, si les choix alimentaires se font uniquement en fonction des goûts et pas de la santé, alors l'obésité est au bout du chemin.

Un exemple pour bien commencer : ne prenez pas l'habitude de récompenser ou de consoler votre enfant avec des bonbons ou des gâteaux. Une bonne note à l'école, une bonne action ou un chagrin ? Proposez-leur une image, un livre, un cadeau ou simplement un câlin mais surtout pas un aliment. Si nourriture rime avec émotions, vous pouvez être sûr qu'à l'avenir, à chaque fois qu'ils auront une contrariété, ils réagiront par une compulsion alimentaire.

L'obésité est-elle héréditaire ?

Ne vous cachez jamais derrière l'excuse de la génétique pour expliquer l'obésité d'un enfant. Les gènes sont responsables de moins de 5 % des obésités. C'est le mimétisme, les habitudes socioculturelles et parfois les conditions socio-économiques qui expliquent les obésités familiales mais pas la génétique.

Prévention dès la grossesse

La prise excessive de poids pendant la grossesse favorise le diabète chez la mère qui, lui-même, augmente le risque d'obésité chez l'enfant à naître. Inversement, l'allaitement maternel diminue le risque de surpoids chez l'enfant par rapport à l'alimentation au biberon.

Le sport avant tout

Les excès alimentaires sont souvent liés à l'ennui et au manque d'activité. L'activité sportive a un rôle essentiel à jouer car elle permet de s'occuper, de penser à autre chose qu'à manger et de se réconcilier avec un corps souvent vécu comme une source de complexes. C'est aussi un moyen idéal de s'intégrer et de ne pas être marginalisé en tant que « gros ».

L'enfant, le sport et l'alimentation

Le sport est le meilleur allié de l'enfant, que ce soit pour sa santé, sa croissance et la lutte contre l'obésité.

Quel sport choisir ?

Le meilleur sport ? Celui que l'enfant à envie de faire ! Rares sont les contre-indications à un sport. Bien sûr, la natation, la gymnastique, l'athlétisme sont les sports les plus complets mais le sport doit développer l'enfant dans sa globalité, ses muscles, ses os, son cerveau et lui apporter du plaisir. Les enfants jeunes changent parfois de sport tous les ans. Ce n'est pas un problème. Aidez-les à trouver leur voie. C'est bon pour eux qu'ils essayent plusieurs activités. Le plus important est qu'ils prennent l'habitude de bouger et qu'ils apprennent à aimer le sport.

Le sport stimule la croissance des muscles mais aussi des os. Il est largement prouvé que la sédentarité est l'une des principales causes de l'ostéoporose. Il permet le développement du système cardio-vasculaire. C'est pendant l'enfance et l'adolescence que l'enfant va augmenter le volume du cœur et sa tonicité. Ce sont des qualités qu'il gardera ensuite toute sa vie.

Le sport permet aussi de développer le sens des contacts humains, de la fraternité, de la solidarité de groupe mais aussi de la compétition et du dépassement de soi.

Mais avant d'arriver au stade de la compétition, l'activité physique régulière est avant tout le meilleur moyen de lutter contre l'obésité.

Il y a quelques décennies, les enfants jouaient au ballon, au gendarme et au voleur ou à cache-cache mais en tout cas ils bougeaient. Aujourd'hui le foot se joue sur console électronique et les wargames ont remplacé nos parties de cache-cache. Sans parler des heures passées devant les dessins animés ! On n'a jamais vu un enfant manger pendant qu'il court derrière un ballon. Mais combien de litres de sodas sont ingurgités devant un écran de télé ou d'ordinateur !

Des efforts qui demandent de l'énergie

Un enfant qui bouge beaucoup a besoin de renouveler ses réserves d'énergie. Inversement, le sport permet de dépenser les excès caloriques qu'il peut faire. Mais pratiquer un sport régulièrement demande un équilibre alimentaire adapté.

Le sport demande avant tout de l'énergie sous forme de sucres lents : riz complet, pommes de terre vapeur, quinoa, pain complet, pâtes semi-complètes, polenta, lentilles qui seront consommés à volonté. Les sucres rapides ne doivent être utilisés qu'au cours de l'effort mais pas en dehors. Les graisses ne doivent pas être trop augmentées car dans ce domaine, ce n'est pas la quantité mais la qualité qui compte. L'enfant devra donc continuer à consommer ses 2 à 3 cuillers à soupe d'huiles végétales.

Construire les muscles mais aussi le cerveau

Pour que l'enfant profite au maximum de ses efforts, il ne faut pas oublier la consommation de protéines. Ce sont elles qui permettent aux muscles et aux os de se développer.

Il est donc important d'augmenter la consommation de poissons, de viandes et d'œufs chez l'enfant sportif. Ces aliments se prendront aux principaux repas mais jamais trop près d'un effort physique car les protéines animales sont longues à digérer et pourraient gêner l'effort.

Le cerveau est aussi un des grands bénéficiaires d'une pratique sportive. L'enfant développe ses capacités de concentration, la précision du geste et du regard, ses réflexes. Beaucoup de sportifs, même au meilleur niveau, ont des performances qui baissent par période parce qu'ils ont oublié de « nourrir » leurs neurones.

Le cerveau a besoin de vitamines, d'oligo-éléments mais surtout d'acides gras essentiels et de phospholipides (dans les œufs, le soja). Nous avons déjà insisté sur ce point dans les chapitres précédents. Si votre enfant fait du sport, surtout en compétition, pensez à lui donner des huiles de qualité.

Penser à boire

Le sport fait perdre de l'eau et des minéraux. Votre enfant doit boire régulièrement pendant et après un effort important. On peut utiliser des boissons adaptées à l'effort (enrichies en minéraux et sucres rapides). Pour ma part, j'aime bien ajouter dans la boisson du sportif un sachet de complément protéiné. Cela permet de nourrir le muscle pendant tout l'effort sans alourdir la digestion.

AGRICULTURE BIOLOGIQUE

Bio ou pas bio ?

Plus de sport, moins de tabac et la lutte contre l'obésité font partie des priorités de l'Organisation Mondiale de la Santé. Favoriser une alimentation biologique devrait faire partie de cette démarche. Et nous avons de très bonnes raisons de le faire.

Le retour à la nature n'est pas une mode. Notre instinct de survie est le plus fort et nous prenons conscience que nous devons protéger notre planète et respecter notre corps. Par ailleurs, l'industrie alimentaire ne fournit pas toujours des aliments de la meilleure qualité nutritionnelle.

Plus de vitamines...

L'agriculture intensive appauvrit les sols et nos aliments sont de moins en moins riches en vitamines. Les travaux du Pr Henri Joyeux (faculté de médecine de Montpellier) à ce sujet sont sans appel. Il a montré que les aliments biologiques contiennent entre 4 et 10 fois plus de vitamines et oligo-éléments que des aliments issus de l'agriculture intensive. Par goût, nos enfants mangent peu de légumes et de fruits. C'est pourquoi l'utilisation de produits biologiques peut limiter certaines carences et favoriser leur croissance et leur santé.

... et moins d'allergies

Au-delà de cette carence en vitamines, les aliments non biologiques apportent de nombreuses molécules chimiques au premier rang desquelles figurent les pesticides.
Ces pesticides, même s'ils ne sont pas très toxiques, représentent des molécules étrangères pour notre organisme et ils vont faire réagir notre système immunitaire.

Il est largement admis aujourd'hui que la présence de pesticides mais aussi de certains engrais favorisent le développement des allergies chez l'enfant (et l'adulte) et peut-être même d'autres maladies du système immunitaire. On suspecte par exemple une relation entre la maladie de Parkinson et la consommation de fruits traités. Bien sûr, on peut laver soigneusement les fruits et les légumes et bien les éplucher avant de les consommer. Mais le faites-vous systématiquement ?

Un coût non négligeable

Le bio coûte plus cher, parfois beaucoup plus cher. La différence n'est peut être pas toujours justifiée mais nous devons également devenir responsables. Si certains fruits et légumes sont vendus à bas prix dans les supermarchés, c'est que les agriculteurs gagnent peu d'argent et qu'ils sont incités à produire plus à moindre coût. Produire des aliments de qualité représente un coût et ce dernier doit être équitablement réparti. Il est normal que nous, consommateurs, payons le prix de cette qualité. Notre santé y gagnera mais l'avenir de notre planète est également en jeu. Si nous favorisons les productions intensives, nous appauvrissons la terre et justifions l'utilisation des organismes génétiquement modifiés dont le risque pour les générations à venir n'est absolument pas maîtrisé.

Les aliments biologiques prioritaires

Pour optimiser votre santé et celle de vos enfants, certains aliments doivent plus particulièrement être issus de l'agriculture biologique. Si vous pouvez consommer les légumes de votre jardin ou si vous connaissez un petit producteur local qui n'utilise pas de pesticides, c'est parfait.

Sinon, voici les principaux aliments à choisir en « bio » :

- Les huiles avant tout, car les produits chimiques se concentrent dans les aliments gras.

- Les fruits, surtout ceux qu'on épluche difficilement comme les abricots, les prunes, certaines pêches et les brugnons.

- Toutes les céréales complètes. En effet, si vous choisissez du pain ou du riz complet, vous allez consommer l'enveloppe de la céréale. Or, c'est justement cette enveloppe qui est arrosée de pesticides et d'engrais. Paradoxalement, il est préférable de manger du pain blanc que du pain complet quand vous ne le choisissez pas biologique !

- Certains légumes facilement riches en dioxines ou autres produits chimiques comme les épinards, l'oseille ou les carottes ou ceux cultivés sur béton (hors sol) comme les tomates.

Les compléments nutritionnels

L'alimentation seule peut ne pas suffire pour garantir un apport optimal en nutriments. Dans de nombreux cas, des compléments alimentaires sont nécessaires voire indispensables.

Même si votre enfant accepte de vous écouter et qu'il suit parfaitement vos conseils, la qualité des aliments proposés aujourd'hui et l'agressivité de l'environnement, mais aussi ses besoins de croissance rendent nécessaires l'usage de compléments alimentaires.

Les probiotiques

Sans être à proprement parler des compléments alimentaires, les probiotiques viennent en tête de ma liste car ils ont une place centrale dans l'alimentation de l'enfant. Les probiotiques sont des bactéries qui permettent de rééquilibrer la flore intestinale quand elle est perturbée. Plusieurs situations nécessitent l'utilisation de probiotiques chez l'enfant.

Le lait maternel apporte des anticorps et des éléments qui permettent un bon développement de la flore colique. Si l'enfant est nourri au biberon, il a été prouvé que l'utilisation des probiotiques améliore son état de santé.

À chaque fois qu'un enfant prend des antibiotiques, il faudra penser à reconstituer sa flore intestinale en lui donnant des probiotiques pendant 10 à 15 jours.

En cas de troubles digestifs - ballonnements, gaz et surtout diarrhée, les probiotiques seront d'un grand secours pour rétablir une bonne digestion.

Donnez-les en cure systématique à l'automne et au printemps pour aider les défenses immunitaires de l'enfant.

Quel probiotique choisir ?

Le produit utilisé doit contenir au moins quatre bactéries différentes et une présentation qui permette à ces bactéries de traverser le milieu acide de l'estomac. Parmi les produits ayant une bonne efficacité clinique, on peut citer Ergyphillus du laboratoire Nutergia, Lactibiane de Pilèje, Bactivit du Laboratoire Lescuyer ou le Colotium de Sofibio. Certains peuvent être associés à des prébiotiques qui aident au développement de ces bactéries dans le tube digestif.

Les acides gras essentiels

Le lait maternel apporte 50 % de ses calories sous forme lipidique. Le cerveau comme nous l'avons déjà dit, mais aussi la peau, la rétine, le système immunitaire, le cœur et les vaisseaux ont besoin d'un apport en acides gras essentiels. En marge des huiles alimentaires, il existe aussi ce que j'appelle des huiles « thérapeutiques » qui seront utilisées à petites doses.

• **L'huile d'onagre,** aux multiples propriétés : elle a une action bénéfique sur la peau mais aussi en cas de terrain allergique et pour la régulation hormonale. J'en ajoute fréquemment 1 g par jour chez les bébés puis 2 g chez les enfants plus grands.
• **L'huile de bourrache** est principalement utilisée pour les peaux sèches. Son goût est moins agréable mais elle est très utile en cas de dartres à raison d'1 à 2 grammes par jour.
• **L'huile de cameline** apporte des acides gras Oméga 3 assez peu présents dans l'alimentation de l'enfant. C'est un équivalent de l'huile de lin ou de noix. On l'utilise à raison d'1/2 à 1 cuiller à café par jour.
• **L'huile de foie de morue** apporte à la fois de la vitamine A, D et des acides gras essentiels. On trouve maintenant cette huile en gélules pour les plus grands ou sous forme liquide « désodorisée » pour les petits.

Dans les cas plus difficiles (troubles du comportement, pathologie particulière), il existe des capsules d'huiles de poisson riches en EPA et DHA qui sont très importants pour la croissance cérébrale de l'enfant. Ces capsules peuvent être ouvertes chez les plus petits.

Les antioxydants

Peu utilisés chez les bébés, les antioxydants sont très utiles dans diverses pathologies où l'on veut stimuler les capacités de « cicatrisation » de l'enfant. Ils peuvent aussi être donnés lors des poussées de croissance ou dans la prévention des infections hivernales et l'été pour protéger la peau des effets néfastes du soleil.

Les principaux sont : les vitamines C, E, les caroténoïdes précurseurs de la vitamine A, le zinc, le cuivre, le sélénium et le manganèse. On peut aussi citer la coenzyme Q10 (protecteur en particulier du système cardio-vasculaire) et l'acide lipoïque. Demandez conseil à votre pharmacien.

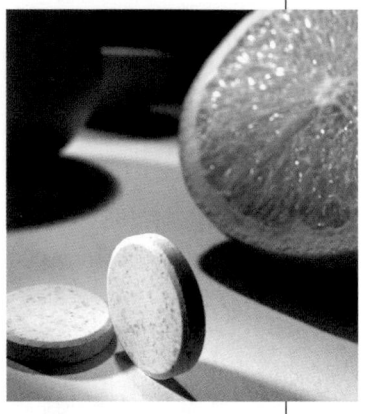

Vitamines et minéraux

Les vitamines et minéraux n'apportent aucune calorie à l'organisme. Pourtant, ces micronutriments sont indispensables à son fonctionnement.

Les aliments riches en calcium, teneur pour 100 g :

Gruyère	1 010
Roquefort	700
Amandes	254
Cresson	211
Persil	200
Figues sèches	160
Yaourt	140
Haricots blancs	137
Crevettes	120
Œufs (pour 2 œufs)	108
Chocolat noir	107
Brocolis	93
Sarrasin	90
Quinoa	85
Epinards	81
Abricots secs	80
Endives	80
Saumon	66
Avoine et orge	60

Les eaux riches en calcium, teneur en mg/l :

Eau minérale Hépar	581
Eau minérale Contrex	450
Eau minérale Salvetat	290

Les oligo-éléments

Ils peuvent faire partie intégrante d'un véritable traitement mais certains sont d'usage courant :

- **Granions d'argent :** à mélanger à du sérum physiologique pour désinfecter le nez des enfants de tout âge quand ils ont un écoulement « jaune ».

Soufre : sous différentes formes pour aider les muqueuses respiratoires à se restaurer en cas d'infections à répétition.

- **Cuivre :** sous forme de granules ou d'ampoules, permet de lutter contre les infections grâce à ses propriétés anti-inflammatoires et stimulant immunitaire.

- **Magnésium :** pour les enfants nerveux ou les troubles du sommeil mais également en cas de goût pour les sucres ou le chocolat.

- **Mélanges de minéraux** comme le Rexorubia, riches en calcium, pour favoriser la croissance.

- **Fluor :** il est prouvé que le fluor prévient les caries dentaires mais il faut l'utiliser avec parcimonie car il n'est pas dénué d'effets secondaires. À forte dose il peut rendre les os fragiles.

Les vitamines

À côté de la vitamine D mentionnée ci-contre, il ne faut pas oublier certaines vitamines parfois absentes de l'alimentation habituelle de nos enfants. Elles sont surtout apportées par les aliments végétaux : fruits, légumes et céréales complètes. Comme ces aliments ne sont pas toujours appréciés par les jeunes, il peut être utile de leur donner des compléments vitaminiques, en particulier l'hiver puisqu'il a été prouvé que certaines vitamines aident à prévenir les infections.

La vitamine C, en particulier, qui est facilement détruite par la cuisson, peut faire défaut aux enfants. Pensez à leur proposer régulièrement des cures de vitamine C à croquer (naturelle de préférence comme les comprimés d'acérola). Sinon, les complexes de multi-vitamines, surtout naturelles, sont faciles à utiliser.

Calcium et vitamine D

La vitamine D est indispensable à une bonne croissance. S'il est habituel d'en donner aux nourrissons, je suis toujours étonné de constater l'absence de supplémentation à partir de 3 à 5 ans alors qu'il est prouvé que même les adolescents sont carencés. L'apport en vitamine D est assuré par une prescription pharmaceutique ou de l'huile de foie de morue désodorisée :
- toute l'année jusqu'à 3 ans ;
- tous les hivers jusqu'à la fin de la croissance.

Le calcium est également essentiel pour l'enfant. En plus de la croissance, il augmente la masse osseuse et prévient le risque futur d'ostéoporose. Calcium n'est pas synonyme de laitage. De nombreux aliments sont riches en calcium, à commencer par l'eau minérale, mais aussi les amandes, certains légumes, les œufs, les poissons gras et notamment les sardines entières. Une alimentation diversifiée apportera tout le calcium nécessaire sans compter exclusivement sur le lait de vache. En cas d'intolérance à ce dernier, une supplémentation calcique en comprimés sera donnée à l'enfant pendant les 3 mois d'hiver et les 3 mois d'été.

Des carences trop fréquentes

Même les enfants vivant dans des familles aisées peuvent avoir des carences en vitamines et minéraux du fait de la qualité des aliments et des mauvaises habitudes alimentaires. On a ainsi montré que 20 % des enfants de 18 mois à 4 ans ont des réserves en fer trop basses et 40 % après 3 ans sont dans le même cas. Entre 25 et 50 % des filles de 10 à 18 ans ne consomment pas les deux tiers des quantités recommandées en calcium. Ces mêmes jeunes filles sont presque toutes carencées en zinc et un tiers d'entre elles ont un déficit en vitamine D. On peut ainsi comprendre pourquoi nous devons être plus attentifs à l'alimentation de nos enfants et l'utilité des compléments nutritionnels.

L'ALIMENTATION DES ENFANTS :
LES RÉPONSES À VOS QUESTIONS

Mon bébé régurgite souvent – Que faut-il faire ?

La régurgitation est physiologique si elle intervient dans les 15 mn qui suivent le biberon. Une seule maladie doit être éliminée, la sténose du pylore qui est un rétrécissement de l'estomac. Elle donne des régurgitations systématiques et de grand volume chez un enfant qui va mal grandir. En cas de doute, consultez votre médecin. En dehors de cette pathologie assez rare, pour limiter ces régurgitations, il faut faire faire un rôt au milieu du repas puis un à la fin et ne pas trop remuer l'enfant pendant la digestion. Parfois il faudra le coucher en position semi-assise en mettant un oreiller sous la tête de son matelas. Par contre, les reflux qui interviennent plus de 30 mn après le repas peuvent irriter l'œsophage du bébé. Il faudra suspecter cela chez un enfant qui pleure souvent dans son lit 1 heure après un repas.

Puis-je utiliser des biberons en plastique ?

Le plastique se raye. Il est donc plus difficile à stériliser. Par ailleurs, sous l'effet de la chaleur, des molécules plastifiantes peuvent passer dans le lait.

Les biberons en plastique seront donc utilisés pour des boissons froides et éventuellement quand il faut réaliser des biberons de plus de 250 ml (les biberons en verre ne vont pas au delà).

Existe-t-il une huile moins grasse ?

Toutes les huiles contiennent 100 % de graisses. Certaines huiles sont plus « lourdes » à digérer. C'est le cas de l'huile de germe de blé et l'huile de noix qui seront utilisées en plus petites quantités. Pour le choix des huiles, reportez-vous au chapitre correspondant (*page 37*).

Faut-il utiliser du beurre ou de la margarine ?

Si vous utilisez du beurre, il devra être exclusivement **cru**. Il apporte des vitamines A et D utiles à l'enfant mais aussi des graisses saturées peu digestes. Il faut se méfier des margarines qui contiennent des acides gras « trans » mauvais pour nos artères et différents colorants et conservateurs. À mon sens, la meilleure margarine reste Primevère®, à utiliser exclusivement crue.

Le sucre est-il indispensable chez l'enfant ?

Oui et non. Les glucides sont indispensables pour la croissance de l'enfant et le fonctionnement de ses muscles mais aussi de son cerveau.

Par contre, le sucre pur a tendance à faire grossir, surtout quand il est pris en dehors des repas ; il favorise le grignotage en créant des hypoglycémies réactionnelles et il donne de mauvaises habitudes gustatives aux enfants. Evitez les sucreries et autres bonbons en dehors des repas et proposez à votre enfant des desserts pas trop sucrés. En revanche, donnez-leur beaucoup de sucres lents.

Mon enfant ne veut pas manger le matin – Que dois-je faire ?

Il est important de manger le matin, que ce soit pour la santé ou pour la concentration intellectuelle. Souvent, les enfants n'ont pas faim car ils se lèvent au dernier moment pour partir à l'école.

Si vous voulez que votre enfant mange mieux le matin (comme il le fait certainement le week-end), faites-le dormir plus tôt le soir et réveillez-le un peu plus tôt le matin. Ensuite, proposez-lui des aliments variés, y compris des œufs ou du fromage pour trouver quelque chose qui l'attire.

Si vraiment il ne peut rien avaler, faites-le partir à l'école avec une collation équilibrée pour la récréation du matin : amandes ou pâte d'amande, compote, sandwich au fromage.

Faut-il éviter le sel dans l'alimentation de mes enfants ?

Il ne faut pas obligatoirement éviter le sel mais il est prouvé que nous mangeons beaucoup trop salé et que cela favorise différentes pathologies cardio-vasculaires. Le sel contenu naturellement dans les aliments pourrait suffire à notre santé.

Prenez l'habitude de ne pas trop saler les plats de vos enfants pour ne pas leur donner de mauvaises habitudes qu'ils pourraient regretter à l'âge adulte.

L'alcool est-il dangereux pour l'enfant ?

Il est prouvé qu'une consommation d'alcool, même faible, chez l'enfant est néfaste pour sa croissance mais surtout pour son développement cérébral. Par ailleurs, cela peut lui donner de mauvaises habitudes pour l'avenir.

Si le fait de tremper les lèvres dans une coupe de champagne le jour de son anniversaire n'aura aucune conséquence sur sa santé, il ne faut surtout pas que cela devienne une habitude.

Mon enfant n'aime pas les fruits. Comment les remplacer ?

Il est fréquent que les enfants refusent de manger des fruits. Souvent c'est une question de mimétisme. Quand les parents mangent beaucoup de fruits, les enfants le font également. Commencez donc par donner l'exemple mais si possible dès leur plus jeune âge.

Sinon, à part la vitamine C, les vitamines contenues dans les fruits sont peu sensibles à la chaleur. Proposez à votre enfant des compotes qu'il appréciera peut-être davantage que les fruits frais. Utilisez aussi les jus de fruits entre les repas.

Il faudrait au moins deux fruits par jour, quelle que soit leur forme.

CONCLUSION

Tout ça, c'est pour leur bien !

À la lecture des chapitres précédents, vous allez peut-être penser que bien manger est un peu compliqué.

Les mathématiques, le piano, le vélo, ce n'est pas simple mais ça s'apprend. Il existe des écoles, des professeurs, des clubs pour apprendre et se perfectionner dans de nombreux domaines.

Pour l'alimentation, qui est l'acte le plus important de votre vie avec la respiration, rien, aucune école, aucun guide.

C'est pourquoi cela peut vous paraître compliqué. Si l'on vous met devant un piano sans aucune explication, vous aurez du mal à jouer une valse de Chopin. Mais avec un bon professeur et de l'entraînement, vous pouvez y arriver.

Bien manger c'est pareil. Vous n'arriverez pas à avoir une alimentation parfaite dès demain. Mais si vous avez de bons guides, si vous vous informez et que vous avez envie d'essayer, vous verrez que c'est beaucoup plus simple qu'il n'y paraît.

Les bases d'une bonne santé

Quand vous décidez d'avoir des enfants, vous voulez tout ce qu'il y a de mieux pour eux. Vous espérez qu'il seront en bonne santé et qu'ils vivront longtemps et heureux. Vous devez savoir qu'une alimentation déséquilibrée tue plus, aujourd'hui, que le tabac : diabète, obésité, excès de

cholestérol et leurs nombreuses complications sont les principales causes d'une mortalité précoce.

Ces maladies dépendent avant tout de ce que nous mangeons. Et ce que nous mangeons dépend de nos habitudes alimentaires transmises par nos parents puisqu'il n'existe pas d'autre lieu de formation sur l'équilibre alimentaire. Et beaucoup de parents sont perdus au milieu de tous les discours publicitaires et pseudo-scientifiques.

Si vous lisez ce livre, c'est probablement que vous avez des enfants ou que vous l'envisagez. Alors vous avez un rôle formidable à jouer pour leur avenir : leur donner de bonnes habitudes diététiques. Leur transmettre un héritage fait de traditions mais aussi de rigueur pour qu'ils puissent rester en bonne santé le plus longtemps possible et qu'à leur tour ils transmettent ces bonnes habitudes à vos petits enfants.

Les fast food devant les tribunaux

À l'image des procès contre les fabricants de cigarettes, aux États-Unis, les premières plaintes contre les fast food ont été déposées. Les consommateurs leur reprochent de les avoir incités à consommer sans modération des repas trop riches en graisses et en sucres sans les avertir du danger d'obésité et de maladies cardio-vasculaires qu'ils courraient.

Ne vous laissez pas influencer

La télévision et les journaux regorgent de messages publicitaires plus sournois les uns que les autres. Ils mettent en avant le plaisir. Nous voyons des gens heureux en mangeant tel ou tel aliment, des enfants sourire à leurs parents quand ils les amènent au fast food ou quand ils leurs donnent des gâteaux. Et vous avez tous envie de voir vos enfants heureux !

En France plus qu'ailleurs, la table est synonyme de convivialité, de joie, de plaisir. Il faut conserver ces notions car rien n'est plus important que les rapports humains. Prenez le temps de manger avec vos enfants, sans télévision et dans la joie.

Mais profitez de ces moments pour parfaire leur éducation en leur parlant de ce qu'ils mangent et en leur expliquant les grandes règles de l'équilibre alimentaire. Ce que vous leur inculquez petits est inscrit à jamais dans leur mémoire.

Et surtout, méfiez-vous des messages publicitaires. On parle souvent de la « mal-bouffe » et on accuse l'industrialisation. Même si on a un peu raison, il ne faut pas oublier le développement de la publicité (liée aux industriels) dans la dérive de l'alimentation moderne.

Vous avez les cartes en main

Mais heureusement, aucun message n'est plus fort que celui des parents à l'égard de leurs enfants, à condition de commencer tôt.

Vous avez des enfants jeunes, génial ! C'est une formidable opportunité pour faire évoluer l'alimentation de toute la famille.

Votre exemple est primordial et si vous voulez que vos enfants mangent bien, toute la famille doit s'y mettre. Si vous mangez des gâteaux ou du chocolat entre les repas, vos enfants feront de même. Si vous faites attention au choix de vos aliments, que vous augmentez la quantité de fruits et légumes et que vous évitez les mauvaises graisses, vos enfants ne pourront que suivre votre exemple.

Et vous aurez le plaisir de voir vos enfants grandir en pleine forme. Et croyez moi, ils vous en seront reconnaissants quand, adultes, ils prendront conscience de la bonne santé que vous leur avez offerte.

LEXIQUE

Antioxydant : un antioxydant est une substance capable de prévenir, réduire ou réparer des dégâts occasionnés par les radicaux libres. Il peut diminuer ou empêcher l'oxydation cellulaire. Il existe différents types d'antioxydants. Parmi eux, on trouve les vitamines A, C, E qui luttent contre la production exagérée de radicaux libres et s'opposent aux phénomènes toxiques. Une bonne santé résulte d'un bon équilibre entre la production inéluctable de radicaux libres et l'action des antioxydants. Si un déséquilibre intervient, il aura des conséquences plus ou moins graves sur la santé.

Crevasse : fissure apparaissant fréquemment au cours de l'allaitement et se signalant par des douleurs intenses lors de la tétée, parfois avec saignement. Une hygiène attentive (toilette quotidienne à l'eau et au savon, lavage des mains au savon et séchage des bouts des seins avant et après chaque tétée), l'utilisation d'un tire-lait ou d'un « bout de sein » lors des tétées et éventuellement des crèmes antiseptiques guérissent les crevasses en quelques jours.

DHA : Acide docosahexaénoïque. Acide gras polyinsaturé à longue chaîne de la famille oméga-3, que l'organisme sait synthétiser à partir de l'acide alpha-linolénique, ou qui est apporté par la consommation d'acides gras (thon, saumon, hareng etc.). Le DHA joue un rôle important dans la structure des membranes, dans le développement et le fonctionnement du cerveau et de la rétine.

EPA : Acide eicosapentaénoïque. Acide gras polyinsaturé à longue chaîne de la famille oméga-3, que l'organisme sait synthétiser à partir de l'acide alpha-linolénique, ou qui est apporté par la consommation d'acides gras (thon, saumon, hareng etc.). L'EPA atténue la réponse inflammatoire.

Hyperglycémie : augmentation anormale de la glycémie (taux de glucose dans le sang) au-dessus de 1,1 gramme par litre.

Hypoglycémie : diminution anormale de la glycémie (taux de glucose dans le sang) au-dessous de 0,6 gramme par litre.

Listériose : maladie infectieuse provoquée par une bactérie *Listeria monocytogenes*, responsables d'avortements et de méningites. Fréquente chez l'animal, elle est rare chez l'homme qui se contamine en consommant des aliments contenant la bactérie (lait cru, fromages au lait cru, viande crue ou mal cuite, végétaux crus, charcuterie).

Otite séreuse : inflammation des cavités de l'oreille moyenne, de la muqueuse qui les tapisse et du tympan.

Probiotiques : bactéries qui agissent sur la flore intestinale et améliorent le confort digestif. Les probiotiques améliorent aussi les défenses immunitaires et réduisent la perméabilité intestinale.

Radicaux libres : les radicaux libres sont émis lors de la production d'énergie dans les cellules. Ce sont des formes agressives de l'oxygène à l'origine des maladies cardiovasculaires, dégénératives ou plus généralement du vieillissement car elles endommagent les cellules de l'organisme. Le stress, le tabac, la pollution augmentent le nombre de radicaux libres.

Salmonellose : maladie infectieuse due à une salmonelle qui infecte le tube digestif. La contamination se fait soit par ingestion d'eau, soit par ingestion d'aliments contenant la bactérie (fruits de mer crus, lait, œufs, viande, volailles). Symptômes : fièvre, diarrhées, vomissements.

Toxoplasmose : maladie due à l'infestation par un parasite de l'intestin du chat et de diverses autres espèces animales. La toxoplasmose peut être responsable d'un avortement spontané ou provoquer des anomalies cérébrales, oculaires et hépatiques chez l'enfant.

BIBLIOGRAPHIE

Bondil A., Kaplan M. : *L'alimentation de la femme enceinte et de l'enfant selon l'enseignement du Dr KOUSMINE*. Editions Robert Laffont, Paris, 1991.

Bourre J.-M. : *Diététique du Cerveau – La nouvelle donne*. Editions Odile Jacob, Paris, 2003.

Chevallier B. : *Diététique infatile*. Abrégés Masson, Paris, 1996.

Couportin C. : *Alimentation du nourrisson*. Editions Médecine-Sciences Flammarion, Paris, 1993.

Dutau G., Rance F. : *L'allergie à l'arachide*. Editions Expansion Scientifique Française, Paris, 2001.

Favier J.-C., Ireland-Ripert J. : *Répertoire général des aliments*. Editions Tec&Doc, Paris, 1995.

Gotsch G. : *L'allaitement tout simplement*. Ligue Internationale La Leche, 2000.

Joyeux H. : *Changez d'alimentation*. Editions François-Xavier de Guibert, Paris, 1994.

Kieffer D. : *L'homme empoisonné*. Editions Jacques Grancher, Paris, 1993.

Kousmine C. : *Soyez bien dans votre assiette*. Editions Tchou, Paris, 1980.

Larocque M. : *Maigrir par le contrôle des émotions*. Editions Harmoxel, Champtoceaux, 2000.

Martin A. : *Apports nutritionnels conseillés pour la population française*. Editions Tec&Doc, Paris, 2000.

Masson R. : *Plus jamais d'enfants malades*. Editions Albin Michel, Paris, 1984.

Masson R. : *La révolution diététique par l'eutynotrophie*. Editions Albin Michel, Paris, 1986.

Ménat E. : *Dictionnaire pratique de la diététique*. Editions Jacques Grancher, Paris, 2000.

Moll R. : *Mon bébé bio*. Editions Terre vivante, Mens, 2001.

Nathan P. : *Se soigner par l'alimentation*. Editions Odile Jacob, Paris, 2000.

Odent M. : *Les acides gras essentiels*. Editions Jacques Ligier, 1990.

Perucca F., Pouradier G. : *Des poubelles dans nos assiettes*. Edition Michel Lafon, Paris, 1996.

Rafal S. : *L'alimentation anti-oxydante*. Editions Marabout, Paris, 2000.

Seignalet J. : *L'alimentation ou la 3ème médecine*. Editions François-Xavier de Guibert, Paris, 4ème édition 2001.

Adresses utiles

*Association Médicale Internationale pour la Recherche
et l'Etude du Comportement Alimentaire (AMIRECA)*

pour obtenir les coordonnées d'un médecin spécialisé dans la nutrition
et la prise en charge globale de l'obésité

120 Av des Champs Elysées - 75008 PARIS

Tél : 01.53.93.68.34

Association Française des Polyallergiques

2 bis rue du Château - 92200 Neuilly sur seine

Tél : 01.47.22.99.00

http://www.polyallergiques.asso.fr

Sites médicaux sur l'alimentation de l'enfant
http://www.med.univ-rennes1.fr/etud/pediatrie/alimentation.htm
http://www.pediatres.online.fr/alimentation2.htm

Site de l'Institut Français de Nutrition
www.ifn.asso.fr/biblio/biblios/enfant.htm

Site sur l'alimentation de la femme enceinte et du nourrisson
http://www.gyneweb.fr/

Site sur l'alimentation en cas de mucoviscidose
http://www.aflm.org/dossiers/nourrir

Site sur l'alimentation de l'enfant sportif
http://www.imageriedusport.com/avis_specialiste/ index_as_enfant-sport4.htm